studio [21]

B1

Vokabeltaschenbuch

Deutsch als Fremdsprache

Cornelsen

Vokabeltaschenbuch

Die Vokabeln finden Sie hier in der Reihenfolge ihres ersten Auftretens in der linken Spalte aufgelistet. In der mittleren Spalte können Sie die Übersetzung in Ihrer Muttersprache eintragen. In der rechten Spalte stehen die neuen Vokabeln in einem geeigneten Satzzusammenhang.

Die chronologische Vokabelliste enthält den Wortschatz von Willkommen in B1 bis Einheit 10, inklusive der Stationen 1 – 2. Wörter, die nicht Teil des Zertifikatswortschatzes sind, sind kursiv gedruckt. Zahlen, grammatische Begriffe sowie Namen von Personen, Städten und Ländern sind nicht in der Liste enthalten.

Symbole, Abkürzungen und Konventionen

Ein (.) oder ein (_) unter dem Wort zeigt den Wortakzent:

ạ = kurzer Vokal

a̲ = langer Vokal

Alle Substantive sind mit ihrem Artikel und der Pluralform angegeben: der **A̲bend**, -e; das **Ha̲u̲s**, -äu-er.

Bei Verben ist zusätzlich die 3. Person Singular im Präsens und im Perfekt angegeben.

Pl. = dieses Wort gibt es (meistens) nur im Plural.

Sg. = dieses Wort gibt es (meistens) nur im Singular.

etw. = etwas

jmdn. = jemanden

jmdm. = jemandem

Willkommen in B1

Willkommen in B1

1 Verbindungen

1.1b

	denken (an etw.), er denkt an etw., er hat an etw. gedacht	Beim Begriff „Freizeit“ denke ich an meinen Fußballverein.
	einfallen, es fällt ein, es ist eingefallen	Mir fiel bei diesem Thema sofort meine Familie ein.
	enthalten, es enthält, es hat enthalten	Unsere Sammlung enthält auch den Begriff „Liebe“.
	in erster Linie	Menschen verbindet in erster Linie das Interesse für die gleichen Themen.
die	**Grafik**, -en	In der Grafik gibt es auch eine Kategorie „Familie“.
	folgend	Folgende Begriffe habe ich gefunden: Liebe, Freizeit und Familie.
der	***Begriff***, *-e*	Einen Unterschied zwischen unseren Notizen gibt es beim Begriff „Literatur“.

		Wort		Beispiel
		fẹsthalten, er hält fest, er hat festgehalten	....	Sie hält sich an einem Regal fest.
		gạnz	....	Aktuelle Literatur interessiert mich ganz besonders.
	die	***Sạmmlung***, *-en*	....	Unsere Sammlung enthält auch den Begriff „Liebe".
		vor ạllem	....	Menschen verbindet vor allem das Thema „Liebe".
		worạn	....	Woran wir nicht gedacht haben, sind folgende Themen: Literatur und Studium.
1.2		**erịnnern (sich an etw.)**, er erinnert sich an etw., er hat sich an etw. erinnert	....	An die Brücke kann ich mich erinnern.
1.3a	der/die	**Frühaufsteher/in**, -/-nen	....	Sie ist absolut kein Frühaufsteher und liebt ihr Bett.

2 Sprachen verbinden

		Wort		Beispiel
2.1a	*die*	***Bịldung*** *(Sg.)*	....	Bildung ist mir sehr wichtig.
	die	**Erịnnerung**, -en	....	Ich habe viele Erinnerungen an meine Großmutter.

		fühlen (sich), er fühlt sich, er hat sich gefühlt	. . . .	Ich fühle mich auch in Deutschland zu Hause.
	der	**Gedanke**, -en	. . . .	Meine Gedanken sind manchmal auch in Deutsch.
	die	**Muttersprache**, -en	. . . .	Für mich ist meine Muttersprache Heimat.
	die	**Freiheit**, -en	. . . .	In der Jugend wollen viele junge Erwachsene mehr Freiheiten.
2.1b	die	**Grenze**, -en	. . . .	Die Grenzen meiner Sprache bedeuten die Grenzen meiner Welt.
		andere	. . . .	Wie viele andere Wörter kennen Sie für „gehen“?
		besondere	. . . .	Die Sprache ist eine besondere Eigenschaft des Menschen.
	die	***Eigenschaft***, *-en*	. . . .	Die Sprache ist eine besondere Eigenschaft des Menschen.
2.1c		***zweisprachig***	. . . .	Ich bin zweisprachig aufgewachsen.
		aufwachsen, *er wächst auf, er ist aufgewachsen*	. . . .	Ich bin zweisprachig aufgewachsen.
		belegen, *er belegt, er hat belegt*	. . . .	Ich habe schon einen Kurs in Spanisch belegt.

		interessiert (an)	. . . .	An meinem Studium interessiert mich besonders, dass ich später Menschen helfen kann.
2.2a		**weltweit**	. . . .	Viele Millionen Menschen weltweit sprechen und lernen Deutsch.
	das	**Nomen**, -	. . . .	Das Wort „Tasche“ ist ein Nomen.
		feminin	. . . .	Das Wort „Tasche“ ist feminin.
		maskulin	. . . .	Das Wort „Name“ ist maskulin.
		einsilbig	. . . .	Im Duden stehen vier einsilbige Wörter, die auf -nf (z. B. Senf) enden.
	der	***Senf*** *(Sg.)*	. . . .	Im Duden stehen vier einsilbige Wörter, die auf -nf (z. B. Senf) enden.
		erscheinen, *er erscheint, er ist erschienen*	. . . .	Es erscheinen weltweit viele Bücher auf Deutsch.
	die	***Wahrscheinlichkeit***, *-en*	. . . .	Wie hoch ist die Wahrscheinlichkeit?
	der	***Wasserskisportclub***, *-s*	. . . .	Der Begriff „Wassersportskiclub“ enthält alle Vokale in alphabetischer Reihenfolge.
	der	**Vokal**, -e	. . . .	Der Begriff „Wassersportskiclub“ enthält alle Vokale in alphabetischer Reihenfolge.

			Beispiel
	der	**Konsonant**, -en	Der Buchstabe „K“ ist ein Konsonant.
		alphabetisch	Der Begriff „Wasserskisportclub“ enthält alle Vokale in alphabetischer Reihenfolge.
		außerhalb	Außerhalb der EU sind die Grenzen meistens geschlossen.
	der	***Sprachraum***, *-äu-e*	Die Dialekte im deutschen Sprachraum sind sehr unterschiedlich.
	der	***Studiengang***, *-ä-e*	Für welchen Studiengang hast du dich entschieden?
2.3a		**wie viele**	Wie viele Sprachen sprechen Sie?
	die	**Meinung**, -en **(meiner Meinung nach)**	Was ist Ihrer Meinung nach die schwerste Sprache?
		bereisen, *er bereist, er hat bereist*	Wie viele Länder haben Sie in Ihrem Leben bereits bereist?
	das	***Russisch*** *(Sg.)*	Meine Muttersprache ist Russisch.

2.4

interessieren (sich für etw.), er interessiert sich für etw., er hat sich für etw. interessiert	Ich interessiere mich für Architektur.
daher	Ich interessiere mich für Architektur. Daher mag ich Berlin sehr gern.
tun (zu tun haben mit), er hat zu tun mit, er hatte zu tun mit	Dieses Foto hat etwas mit Kultur zu tun.

1 Zeitpunkte

1 Zeitpunkte

die **Dauer** (Sg.) . . . . Die Dauer eines Wimpernschlags ist 0,1 Sekunde.

das ***Funksignal****, -e* . . . . Das Funksignal vom Mars bis zur Erde braucht 19,4 Minuten.

der ***Mars*** *(Sg.)* . . . . Das Funksignal vom Mars bis zur Erde braucht 19,4 Minuten.

die ***Nanosekunde****, -n* . . . . Die Dauer eines Rechenschritts am Computer ist 0,4 Nanosekunden.

die ***Pulsdauer*** *(Sg.)* . . . . Die typische Pulsdauer eines Menschen ist 1 Sekunde.

der ***Rechenschritt****, -e* . . . . Die Dauer eines Rechenschritts am Computer ist 0,4 Nanosekunden.

der ***Wimpernschlag****, -ä-e* . . . . Die Dauer eines Wimpernschlags ist 0,1 Sekunde.

die ***Eintagsfliege****, -n* . . . . Die Eintagsfliege lebt 1-3 Tage.

die ***Lebenserwartung****, -en* . . . . Die Lebenserwartung eines Deutschen ist 80 Jahre.

die ***Taschenmaus****, -äu-e* . . . . Die Taschenmaus schläft 20 Stunden am Tag.

1 Zeitgefühl – gefühlte Zeit

1.1a	*die*	***Wartezeit**, -en*	In der Wartezeit am Bahnhof lese ich ein Buch und trinke Kaffee.
	das	***Zeitdokument**, -e*	Der Bericht ist ein wichtiges und emotionales Zeitdokument.
	der	***Zeitdruck*** *(Sg.)*	Vor meinen Prüfungen habe ich jedes Mal großen Zeitdruck.
1.1b	*der*	***S-Bahnhof**, -ö-e*	Ich mag das Foto vom S-Bahnhof, weil es sehr dynamisch aussieht.
		merken, er merkt, er hat gemerkt	Wenn ich mit Patienten arbeite, merke ich die Zeit kaum.
		sobald	Sobald ich von der Arbeit nach Hause komme, ändert sich mein Zeitgefühl.
	das	***Zeitgefühl*** *(Sg.)*	Sobald ich von der Arbeit nach Hause komme, ändert sich mein Zeitgefühl.
1.2c		***dahinschleichen**, er schleicht dahin, er ist dahingeschlichen*	Wenn es langweilig ist, schleicht die Zeit dahin.

***stillstehen**, er steht still, er hat stillgestanden* . . . . Im Matheunterricht habe ich das Gefühl, dass die Zeit stillsteht.

wie im Flug . . . . Mit meinen Freunden vergeht die Zeit wie im Flug.

2 Wo bleibt die Zeit?

2.1b

***ahnen**, er ahnt, er hat geahnt* . . . . Wir haben geahnt, dass wir viel Zeit für die Arbeit verwenden.

der ***Liebling**, -e* . . . . Auch dem Liebling der Deutschen, dem Auto, wird viel Zeit geschenkt.

durchschnittlich . . . . Zwei Jahre und sechs Monate sitzen wir in unserem Leben durchschnittlich in einem Auto.

dieselbe . . . . Dieselbe Zeit brauchen wir zum Waschen und Bügeln.

deutlich . . . . Deutlich weniger Zeit bekommen unsere Kinder von uns.

all . . . . All die Wörter, die ich gelernt habe, sind sehr nützlich.

	die	***Arbeitspause**, -n*	Die Arbeitspausen dauern acht Wochen.
	der/die	**Wissenschaftler/in**, -/-nen	Wissenschaftler fragen, ob wir zu viel Zeit haben.
2.1d		***erstaunt***	Ich war erstaunt, dass wir so viel Zeit im Auto verbringen.
		überrascht sein, er ist überrascht, er war überrascht	Ich war überrascht, wie gut mein Deutsch schon ist.
		klar sein, es ist klar, es war klar	Es ist klar, dass mein großer Bruder schneller laufen kann als ich.
2.3	*das*	***Zärtlichsein*** *(Sg.)*	Man sollte sich Zeit zum Zärtlichsein nehmen.
	das	***Katzekitzeln*** *(Sg.)*	Zeit zum Katzekitzeln!
2.6a		**gleichzeitig**	Ich kann nicht gleichzeitig lesen und Radio hören.
		***twittern**, er twittert, er hat getwittert*	Meine Freundin twittert jeden Tag.
	das	**Instrument**, -e	Ich spiele kein Instrument.

3 Zeitgeschichte

3.1b

	entdecken, er entdeckt, er hat entdeckt	. . . .	Wir wollen gemeinsam Berlin entdecken.
das	***Wahrzeichen***, *-*	. . . .	Das Brandenburger Tor ist das wichtigste Wahrzeichen der Stadt.
	regieren, *er regiert, er hat regiert*	. . . .	König Friedrich Wilhelm II. regierte Preußen.
der	***Reichskanzler***, *-*	. . . .	Am 30. Januar 1933 wurde Hitler Reichskanzler.
	marschieren, *er marschiert, er ist marschiert*	. . . .	Die Nationalsozialisten marschierten nach ihrer Machtübernahme durch das Brandenburger Tor.
die	***Machtübernahme***, *-n*	. . . .	Die Nationalsozialisten marschierten nach ihrer Machtübernahme durch das Brandenburger Tor.
der	***Zweite Weltkrieg*** *(Sg.)*	. . . .	Der Zweite Weltkrieg begann am 1. September 1939.
der	***Weltkrieg***, *-e*	. . . .	Der Zweite Weltkrieg begann am 1. September 1939.
der	***Überfall***, *-ä-e*	. . . .	Der Zweite Weltkrieg begann am 1. September 1939 mit dem Überfall Deutschlands auf Polen.

	stark	. . . .	Das Brandenburger Tor wurde im Krieg stark beschädigt.
	beschädigen, er beschädigt, er hat beschädigt	. . . .	Das Brandenburger Tor wurde im Krieg beschädigt.
	besiegen, *er besiegt, er hat besiegt*	. . . .	Am 8. Mai 1945 wurden die Deutschen besiegt.
	befreien, *er befreit, er hat befreit*	. . . .	Am 8. Mai 1945 wurden die Deutschen befreit.
der	**Staat**, -en	. . . .	1949 wurden die beiden deutschen Staaten, die Bundesrepublik und die DDR, gegründet.
der	***Ostteil***, *-e*	. . . .	Der Ostteil von Berlin wurde von der Berliner Mauer vom Westteil getrennt.
der	***Westteil***, *-e*	. . . .	Der Ostteil von Berlin wurde von der Berliner Mauer vom Westteil getrennt.
der	***Ost-Berliner***, *-*	. . . .	Ost-Berliner durften nicht mehr nach West-Berlin einreisen.
das	**Symbol**, -e	. . . .	Das Brandenburger Tor ist ein Symbol für den Kalten Krieg.

der	**Krieg**, -e	. . . .	Am 8. Mai 1945 war der Krieg beendet.
	d. h. (= das heißt)	. . . .	Das Brandenburger Tor ist ein Symbol für den Kalten Krieg, d.h. die Auseinandersetzung zwischen den USA und der UdSSR.
die	***Auseinandersetzung***, *-en*	. . . .	Der Kalte Krieg war die Auseinandersetzung zwischen den USA und der UdSSR.
	Ost (Osten)	. . . .	Deutschland wurde in Ost und West geteilt.
	West (Westen)	. . . .	Deutschland wurde in Ost und West geteilt.
die	***Großmacht***, *-ä-e*	. . . .	Die USA sind eine Großmacht.
	hunderttausend	. . . .	1989 fiel die Mauer und hunderttausende Berliner feierten.
	wiedervereinigen, *er wiedervereinigt, er hat wiedervereinigt*	. . . .	Am 3. Oktober 1990 wurden die beiden deutschen Staaten wiedervereinigt.
die	***1990er***	. . . .	In den 1990er Jahren feierten zum ersten Mal Technobegeisterte die Loveparade.
der/ die	***Technobegeisterte***, *-n*	. . . .	In den 1990er Jahren feierten zum ersten Mal Technobegeisterte die Loveparade.

	die	**Loveparade** (Sg.)	. . . .	In den 1990er Jahren feierten zum ersten Mal Technobegeisterte die Loveparade.
	die	***Fußballweltmeisterschaft**, -en*	. . . .	Die Fußballweltmeisterschaft 2006 war für Deutschland ein Höhepunkt.
	der	***Fußballfan**, -s*	. . . .	2006 trafen sich die Fußballfans am Brandenburger Tor.
	das	***Silvesterfeuerwerk**, -e*	. . . .	Der Höhepunkt ist jedes Jahr das Silvesterfeuerwerk am Brandenburger Tor.
3.2a		***preußisch***	. . . .	Der preußische König war Friedrich Wilhelm II.
	das	***Synonym**, -e*	. . . .	„Monarch“ ist ein Synonym für „König“.
	der/die	***Monarch/in**, -en/-nen*	. . . .	König Friedrich Wilhelm II. war ein deutscher Monarch.
3.3	*die*	***Teilung**, -en*	. . . .	Die Teilung Deutschlands war schwer für die Menschen.
		zerstören, er zerstört, er hat zerstört	. . . .	Im Zweiten Weltkrieg wurde das Brandenburger Tor fast zerstört.
	der	***West-Berliner**, -*	. . . .	Die West-Berliner wohnten im Westteil von Berlin.
	das	***Silvester**, -*	. . . .	Silvester wird am 31.12. gefeiert.

3.4a	*die*	***Demonstration**, -en*	. . . .	In Berlin findet eine Demonstration gegen den Klimawandel statt.
		versuchen, er versucht, er hat versucht	. . . .	Wir haben versucht, einen Fernseher zu finden.
		sprachlos	. . . .	Ich war sprachlos, als die Mauer fiel.
3.8		**damals**	. . . .	Damals habe ich gerne mit meinen Freunden gespielt.
	das	**Ereignis**, -se	. . . .	An welches Ereignis können Sie sich noch erinnern?
		extrem	. . . .	Dieses Ereignis war extrem traurig für die ganze Familie.
		still	. . . .	In der Nacht ist es immer sehr still draußen.

4 Nachdenken über Zeit

4.2a	*der/ die*	***Besucher/in**, -/-nen*	. . . .	Besucher hören in der Kirche einen Orgelton.
	der	***Orgelton**, -ö-e*	. . . .	Besucher hören in der Kirche einen Orgelton.

		momentan	. . . .	Momentan ertönen dis, ais und e.
	der	**Amerikaner**, -	. . . .	Der Komponist des Konzerts ist Amerikaner.
		ertönen, *es ertönt, es ist ertönt*	. . . .	Momentan ertönen dis, ais und e.
		unter der Woche	. . . .	Besucht man St. Burchardi unter der Woche, kann man den Klang in Ruhe genießen.
		in Ruhe	. . . .	Besucht man St. Burchardi unter der Woche, kann man den Klang in Ruhe genießen.
	der	**Hörer**, -	. . . .	Sehr geehrte Hörer, Sie hören nun eine Reportage.
4.2c	*das*	***Musikprojekt***, *-e*	. . . .	Das Musikprojekt verbindet Vergangenheit, Gegenwart und Zukunft.
	die	**Vergangenheit**, -en	. . . .	Das Musikprojekt verbindet Vergangenheit, Gegenwart und Zukunft.
	der	***Konzertbesucher***, -	. . . .	Der Konzertbesucher bekommt ein Gefühl für langsam und schnell.
4.3a		**nah**	. . . .	Der nächste Supermarkt ist ganz nah bei meiner Wohnung.

		reich	Er verdient in seinem neuen Job sehr viel Geld und ist jetzt reich.
	der/die	**Narr/Närrin**, *-en/-nen*	Ein Narr kann ein Clown sein – oder jemand, der nicht nachdenkt, bevor er etwas macht.
4.3b		***schmelzen***, *er schmilzt, er ist geschmolzen*	Eis schmilzt in der Sonne.

Ü Übungen

Ü1a	*die*	***Toncollage***, *-n*	Hören Sie die Toncollage.
Ü3a		**berufstätig**	Meine Mutter ist berufstätig.
	das	**Zeitproblem**, -e	Ich habe nicht erwartet, Zeitprobleme zu bekommen.
		zeitlos	Richtig gute Bücher sind zeitlos.
	das	***Zeitmanagement*** *(Sg.)*	Mein Zeitmanagement ist miserabel.
Ü4a	*die*	***Umfrage***, *-n*	Bitte machen Sie bei dieser Umfrage mit.
		unterstützen, *er unterstützt, er hat unterstützt*	Welches Foto unterstützt den Text?

	das	***Tattoo**, -s*	. . . .	Gestern habe ich mein Tattoo bekommen.
	der	**Berg**, -e	. . . .	Wenn ich auf dem Berg stehe, fühle ich mich gut.
	das	***Urlaubsziel**, -e*	. . . .	Ich will endlich am Urlaubsziel ankommen.
		unendlich	. . . .	Elf Stunden im Flugzeug sind unendlich lang!
Ü4b	*das*	***Tattoostudio**, -s*	. . . .	Frau Neitzel arbeitet in einem Tattoostudio.
Ü9b		**zelten**, er zeltet, er hat gezeltet	. . . .	Wir wollen am Wochenende zusammen zelten.
Ü12	das	**Lieblingslied**, -er	. . . .	Mein Lieblingslied ist von einer amerikanischen Band.
Ü13a	*die*	***Sauna**, Saunen*	. . . .	Wenn ich in der Sauna sitze, denke ich nach.
	das	**Plakat**, -e	. . . .	Viele hatten Plakate dabei.
	die	***Reisefreiheit** (Sg.)*	. . . .	Wir hörten, dass es jetzt Reisefreiheit gibt.
Ü18	*die*	***Karaoke-Bar**, -s*	. . . .	Wir trafen uns in einer Karaoke-Bar.
Ü19	*der*	***Winterschlaf** (Sg.)*	. . . .	Wie lange hält der Igel Winterschlaf?
	der	***Igel**, -*	. . . .	Wie lange hält der Igel Winterschlaf?
	der	***Floh**, -ö-e*	. . . .	Wie lange dauert das Leben eines Flohs?

Ü20a die **Kunst**, -ü-e . . . . Ich habe sehr gute Noten in Kunst.

Ü Zertifikatstraining

das ***Holzhaus**, -äu-er* . . . . Wir haben in einem Holzhaus gewohnt.

das ***Herzfenster**, -* . . . . Die Toilettentür hatte ein Herzfenster!

heizen, er heizt, er hat geheizt . . . . Wir hatten einen Holzofen, um zu heizen.

der ***Holzofen**, -ö-* . . . . Wir hatten einen Holzofen, um zu heizen.

frieren, er friert, er hat gefroren . . . . Das Eis war gefroren.

das **Loch**, -ö-er . . . . Wir mussten ein Loch ins Eis machen.

abenteuerlich . . . . Das war ein abenteuerlicher Urlaub.

das ***Baumaterial**, -ien* . . . . Er hat alle Baumaterialien selbst auf den Berg getragen.

der ***Sommermonat**, -e* . . . . In den Sommermonaten ist es sehr schön dort.

usw. (= und so weiter) . . . . Man kann auch ohne Strom, Heizung usw. leben.

	jedenfalls	. . . .	Ich bin jedenfalls sehr zufrieden mit dem Urlaub.
	anstrengend	. . . .	Das war heute ein besonders anstrengender Tag.
die	***Zeitreise**, -n*	. . . .	Es war wie eine Zeitreise!

2 Alltag

der **Haushalt**, -e	. . . .	In unserer WG müssen alle den Haushalt machen.
der **Streit** (Sg.)	. . . .	Mit meinen Eltern habe ich ziemlich oft Streit.
der **Platz**, -ä-e	. . . .	Gestern habe ich im Fitnessstudio keinen Platz im Aerobic-Kurs gefunden.
die ***Überstunde**, -n*	. . . .	Mein Freund muss immer viele Überstunden machen.
***ertragen**, er erträgt, er hat ertragen*	. . . .	In der Nähe der Autobahn müssen die Bewohner viel Lärm ertragen.

1 Alltagsprobleme

1.1

die ***Mama**, -s*	. . . .	Hallo Mama, sei nicht sauer, aber ich habe meinen Schlüssel verloren.
der **Strafzettel**, -	. . . .	Ich habe gestern einen Strafzettel bekommen.
höchstens	. . . .	Ich stehe höchstens seit zwei Minuten hier.

	der	***Anschlusszug**, -ü-e*	. . . .	Ich verpasse meinen Anschlusszug in Frankfurt.
		***nachsehen**, er sieht nach, er hat nachgesehen*	. . . .	Einen Moment, bitte, ich sehe mal nach.
	die	**EC-Karte**, -n	. . . .	Oh je, meine EC-Karte ist gesperrt!
		***sperren**, er sperrt, er hat gesperrt*	. . . .	Oh je, meine EC-Karte ist gesperrt!
	die	***Geheimzahl**, -en*	. . . .	Du hast sicher die Geheimzahl falsch eingegeben.
1.2	*die*	***Politesse**, -n*	. . . .	Die Politesse lässt den Falschparker fahren.
	der/die	***Falschparker/in**, -/-nen*	. . . .	Die Politesse lässt den Falschparker fahren.
	die	**Strafe**, -n	. . . .	Er muss keine Strafe zahlen.
		lautlos	. . . .	Tanja hat ihr Handy auf lautlos gestellt.
	der	***Bankkunde**, -n*	. . . .	Der Bankkunde empfiehlt, sich an das Personal der Bank zu wenden.
	das	**Personal** (Sg.)	. . . .	Der Bankkunde empfiehlt, sich an das Personal der Bank zu wenden.

wẹnden (sich wenden an), er wendet sich an, er hat sich an ... gewandt . . . . Der Bankkunde empfiehlt, sich an das Personal der Bank zu wenden.

1.3 **ặrgern (sich über etw.)**, er ärgert sich über etw., er hat sich über etw. geärgert . . . . Worüber ärgern Sie sich nicht?

einparken, *er parkt ein, er hat eingeparkt* . . . . Meine Mutter kann besser einparken als mein Vater.

stören, er stört, er hat gestört . . . . Es stört mich, wenn jemand laut isst.

nẹrvig finden, *er findet nervig, er hat nervig gefunden* . . . . Ich finde es nervig, wenn es im Deutschkurs zu laut ist.

strẹssig finden, *er findet stressig, er hat stressig gefunden* . . . . Ich finde es stressig, viel zu arbeiten.

2 Notfälle

2.1a

	tun (für jmdn.), *er tut für jmdn., er hat für jmdn. getan*	Was kann ich für Sie tun?
	darum	Ich habe meine EC-Karte verloren, darum möchte ich sie sperren.
	beantragen, er beantragt, er hat beantragt	Sie müssen eine neue Karte beantragen.
	ausfüllen, er füllt aus, er hat ausgefüllt	Bitte füllen Sie dieses Formular aus.
das	**Formular**, -e	Bitte füllen Sie dieses Formular aus.
	zuschicken, *er schickt zu, er hat zugeschickt*	Die neue Karte wird Ihnen zugeschickt.
	wie lange	Wie lange dauert es, bis ich die neue Karte erhalte?
die	**Quittung**, -en	Füllen Sie bitte diese Quittung aus.
der	***Personalausweis***, *-e*	Haben Sie Ihren Personalausweis dabei?
	abheben, er hebt ab, er hat abgehoben	Ich möchte bitte 200 Euro abheben.

die	**Anzeige**, -n	. . . .	Ich möchte Anzeige erstatten.
	erstatten, *er erstattet, er hat erstattet*	. . . .	Ich möchte Anzeige erstatten.
	setzen (sich), er setzt sich, er hat sich gesetzt	. . . .	Setzen Sie sich bitte.
	erst einmal	. . . .	Sie müssen erst einmal das Protokoll unterschreiben.
	stehlen, er stiehlt, er hat gestohlen	. . . .	Mein Handy wurde gerade gestohlen.
das	**Geburtsdatum**, Geburtsdaten	. . . .	Bitte nennen Sie mir Ihr Geburtsdatum, ihren Geburtsort und Ihre Adresse.
der	**Geburtsort**, -e	. . . .	Bitte nennen Sie mir Ihr Geburtsdatum, ihren Geburtsort und Ihre Adresse.
das	***Überseekolleg***, *-e*	. . . .	Ich wohne jetzt im Überseekolleg.
	beteiligt	. . . .	Wer war an diesem Überfall beteiligt?
die	***Buslinie***, *-n*	. . . .	Ich war in der Buslinie 232.
	gekleidet	. . . .	Der Mann war gut gekleidet.

		deswegen	. . . .	Ich hatte ein komisches Gefühl. Deswegen habe ich mein Handy gesucht.
		unterschreiben, er unterschreibt, er hat unterschrieben	. . . .	Sie müssen das Protokoll unterschreiben.
		polizeilich	. . . .	Sie bekommen noch eine Kopie der polizeilichen Anzeige.
2.4a	der	**Ausweis**, -e	. . . .	Ich habe meinen Ausweis verlegt, deshalb habe ich ein Problem.
		verlegen, *er verlegt, er hat verlegt*	. . . .	Ich habe meinen Ausweis verlegt, deshalb habe ich ein Problem.
2.5a	*der*	***Beamte***, *-n*	. . . .	Sie begrüßen den Beamten.
		fragen (nach etw.), er fragt nach etw., er hat nach etw. gefragt	. . . .	Der Beamte fragt nach der Adresse des Mannes.
	das	**Detail**, -s	. . . .	Der Beamte fragt nach weiteren Details.

		bitten (um etw.), er bittet um etw., er hat um etw. gebeten	. . . .	Er bittet Sie um Ihre Unterschrift.
2.5b		**darstellen**, er stellt dar, er hat dargestellt	. . . .	Sie müssen das Problem gut darstellen.
	das	***Anliegen***, *-*	. . . .	Er erklärt dem Beamten sein Anliegen.
2.6a	*der*	***Diebstahl***, *-ä-e*	. . . .	Sie gehen zur Polizei und zeigen den Diebstahl an.

3 Stress im Beruf?

3.1b		***auffressen***, *er frisst auf, er hat aufgefressen*	. . . .	Frisst Ihr Job Sie auf?
	das	**Gewissen**, -	. . . .	Viele Menschen haben immer ein schlechtes Gewissen.
	der/ die	***Werbetexter/in***, *-/-nen*	. . . .	Wiebke Staude ist Werbetexterin von Beruf.
	die	***Werbebranche***, *-n*	. . . .	Sie arbeitet in der Werbebranche.

	letzte	. . . .	Die Arbeitswelt hat sich in den letzten Jahren stark verändert.
die	**Regel**, -n	. . . .	Ich habe drei Regeln, die mir helfen.
das	***Sportstudio***, *-s*	. . . .	Ich gehe mindestens zweimal pro Woche ins Sportstudio.
der/die	**Architekt/in**, -en/-nen	. . . .	Ich habe damals als Architekt mit eigenem Büro gearbeitet.
der	**Auftrag**, -ä-e	. . . .	Deswegen habe ich alle Aufträge angenommen.
	annehmen, er nimmt an, er hat angenommen	. . . .	Deswegen habe ich alle Aufträge angenommen.
	voranbringen, *er bringt voran, er hat vorangebracht*	. . . .	Das hat mich vorangebracht.
	langfristig	. . . .	Langfristig war das aber nicht gut.
	verschieben, er verschiebt, er hat verschoben	. . . .	Arzttermine habe ich verschoben, abends saß ich über wichtigen Bauplänen.
der	***Bauplan***, *-ä-e*	. . . .	Arzttermine habe ich verschoben, abends saß ich über wichtigen Bauplänen.

die	***Absage**, -n*	Freunde haben sich nach der fünften Absage nicht mehr gemeldet.
	***wachrütteln**, er rüttelt wach, er hat wachgerüttelt*	Das hat mich wachgerüttelt.
	mittlerweile	Mittlerweile arbeite ich in einem großen Architektenbüro.
das	***Architektenbüro**, -s*	Mittlerweile arbeite ich in einem großen Architektenbüro.
die	***Kinderkrankenschwester**, -n*	Die Arbeit als Kinderkrankenschwester ist nicht immer leicht.
die	***Kinderklinik**, Kinderkliniken*	Meine Arbeit in der Kinderklinik ist nicht immer leicht.
der	***Nachtdienst**, -e*	Ich habe oft Nachtdienst.
	konzentrieren (sich), er konzentriert sich, er hat sich konzentriert	Ich muss mich konzentrieren, denn es dürfen keine Fehler passieren.
	körperlich	Es ist körperlich und manchmal auch psychisch schwere Arbeit.

		psychisch	. . . .	Es ist körperlich und manchmal auch psychisch schwere Arbeit.
		tief	. . . .	Das gibt meinem Leben einen tieferen Sinn.
	der	***Ausgleich***, *-e*	. . . .	Nach der Arbeit brauche ich einen Ausgleich.
		guttun, *er tut gut, er hat gutgetan*	. . . .	Yoga tut mir gut.
	die	***Work-Life-Balance*** *(Sg.)*	. . . .	Ich habe eine ziemlich gute Work-Life-Balance.
3.1c	*der*	***Stressfaktor***, *-en*	. . . .	Zu viel Arbeit ist ein Stressfaktor.
3.2a	der	**Feierabend**, -e	. . . .	Na dann, einen schönen Feierabend!
3.3	das	**letzte Mal**, letzten Male	. . . .	Das letzte Mal war ich richtig gestresst, als ich zwei Stunden im Stau gestanden habe.
		gestresst	. . . .	Das letzte Mal war ich richtig gestresst, als ich zwei Stunden im Stau gestanden habe.

4 Gute Ratschläge

4.3	*die*	***Kondition*** *(Sg.)*	. . . .	Ich habe keine Kondition.

5 Lachen ist gesund!

5.1a

	bestätigen, er bestätigt, er hat bestätigt	Wissenschaftler haben bestätigt, was wir schon immer vermutet haben.
	vermuten, er vermutet, er hat vermutet	Wissenschaftler haben bestätigt, was wir schon immer vermutet haben.
das	**Blut** (Sg.)	„Lachen macht gutes Blut“ ist ein italienisches Sprichwort.
	nun	Nun liefern Studien einen Beweis für die Theorie.
	liefern, er liefert, er hat geliefert	Nun liefern Studien einen Beweis für die Theorie.
der	**Beweis**, -e	Der wissenschaftliche Beweis kommt aus einer neuen Studie.
	menschlich	Lachen löst im menschlichen Organismus biochemische Prozesse aus.
der	***Organismus**, Organismen*	Lachen löst im menschlichen Organismus biochemische Prozesse aus.
	biochemisch	Lachen löst im menschlichen Organismus biochemische Prozesse aus.

		auslösen, *er löst aus, er hat ausgelöst*	Lachen löst im menschlichen Organismus biochemische Prozesse aus.
	die	***Psyche***, *-n*	Lachen beeinflusst den Körper und die Psyche positiv.
		beeinflussen, er beeinflusst, er hat beeinflusst	Lachen beeinflusst den Körper und die Psyche positiv.
	der	***Effekt***, *-e*	Wenn man oft lacht, kommt es zu diesem Effekt.
5.1b		***bezeichnen***, *er bezeichnet, er hat bezeichnet*	„Wissenschaftler" bezeichnet Personen, die forschen oder in der Wissenschaft tätig sind.
		tätig sein, *er ist tätig, er war tätig*	„Wissenschaftler" bezeichnet Personen, die forschen oder in der Wissenschaft tätig sind.
	die	**Darstellung**, -en	Ein Artikel ist eine kurze Darstellung zu einem Thema.
	das	***Lebewesen***, *-*	Organismus bedeutet Lebewesen.
	die	***Gesamtheit***, *-en*	Die Psyche ist die Gesamtheit des menschlichen Fühlens, Empfindens und Denkens.
	das	***Empfinden*** *(Sg.)*	Die Psyche ist die Gesamtheit des menschlichen Fühlens, Empfindens und Denkens.

	die	***Reaktion**, -en*	Ein Effekt ist eine Reaktion oder Folge.
5.2b		**lächeln**, er lächelt, er hat gelächelt	Einmal lächeln macht zehn Jahre jünger.
		verlängern, er verlängert, er hat verlängert	Lachen verlängert das Leben.
5.3	*der*	***Kreißsaal**, Kreißsäle*	Fahren Sie bitte schnell zum Kreißsaal!
		***anhalten**, er hält an, er hat angehalten*	Sofort anhalten!

Ü Übungen

Ü1a	*der*	***Fahrradhändler**, -*	Der Fahrradhändler kann mein Fahrrad reparieren.
Ü2b	die	**Langeweile** (Sg.)	Im Deutschunterricht habe ich nie Langeweile.
Ü4a		**bemerken**, er bemerkt, er hat bemerkt	Haben Sie denn vorher etwas bemerkt?
Ü6a	*der*	***Online-Dienst**, -e*	Ich sperre die EC-Karte mit einem Online-Dienst.
		***anstoßen**, er stößt an, er hat angestoßen*	Ich habe jemanden mit dem Fahrrad angestoßen.

Ü7a	der	**Nerv**, -en	....	Sie hat abends wegen ihres Jobs kaum noch Nerven.
Ü10a	*der*	***Stressreport***, *-s*	....	Im Stressreport stehen die größten Stressfaktoren.
	der	***Erwartungsdruck*** *(Sg.)*	....	Junge Menschen stehen unter einem hohen Erwartungsdruck.
Ü11b	*das*	***Berufsfeld***, *-er*	....	In meinem Berufsfeld haben es junge Familien sehr schwer.
	der	***Termindruck*** *(Sg.)*	....	In meinem Beruf ist Termindruck normal.
Ü13a	*der*	***Wochenenddienst***, *-e*	....	Ich habe Nacht- und Wochenenddienste.
	die	***Balance*** *(Sg.)*	....	Die Balance zwischen Beruf und Privatleben ist schwierig.
Ü15a	*das*	***Informationsblatt***, *-ä-er*	....	Lesen Sie das Informationsblatt zur Stressbewältigung.
	die	***Stressbewältigung*** *(Sg.)*	....	Richtige Stressbewältigung ist wichtig für das Privatleben.
	das	***Stresssymptom***, *-e*	....	Manche Menschen zeigen Stresssymptome wie Bauchschmerzen.
	die	***Stärke***, *-n*	....	Denken Sie an Ihre Erfolge und Stärken!

Ü16a	*der*	***Schreibtischstuhl**, -ü-e*	. . . .	Ich muss mir einen besseren Schreibtischstuhl kaufen.
Ü17a	*das*	**Deo**, *-s*	. . . .	Kauf dir mal ein anderes Deo!
Ü17b	*der*	***Frauenzeitschrift-Artikel**, -*	. . . .	Lesen Sie den Frauenzeitschrift-Artikel.
	die	**Frisur**, -en	. . . .	Kommentare zur Frisur sind immer gefährlich.
Ü18		***einziehen**, er zieht ein, er hat eingezogen*	. . . .	Der EC-Automat hat meine Karte eingezogen!
Ü20	*der*	***Clown**, -s*	. . . .	Die Clowns schenken Kindern ein Lachen.
Ü20b	die	**Therapie**, -n	. . . .	Die Therapie ist vielleicht schmerzhaft.
		schmerzhaft	. . . .	Die Therapie ist vielleicht schmerzhaft.
	der	**Künstler**, -	. . . .	Van Gogh ist ein faszinierender Künstler.
	die	***Kontodaten*** *(Pl.)*	. . . .	Die Kontodaten finden Sie online.

3 Männer – Frauen – Paare

die ***Sportsendung**, -en* . . . . Ich sehe gerne Sportsendungen mit meiner Freundin.

die ***Ledertasche**, -n* . . . . Ich schenke meinem Vater eine Ledertasche zum Geburtstag.

der ***Kochtopf**, -ö-e* . . . . Nudeln kocht man am besten in einem großen Kochtopf.

das ***4-Ohren-Modell**, -e* . . . . Lies die Informationen zum 4-Ohren-Modell der Kommunikation.

1 Männer und Frauen

1.1a *das* ***Klischee**, -s* . . . . Dass Frauen nicht Autofahren können, ist ein Klischee.

eher ... als . . . . Männer sehen eher Sportsendungen als Frauen.

weiblich . . . . Kosmetik ist ein typisch weibliches Produkt.

		mạ̈nnlich	Ich glaube, dass Sportsendungen typisch männlich sind.
		pạssen (zu), er passt zu, er hat zu … gepasst	Sportsendungen passen zu Männern und Frauen.
1.1c		***schlịcht***	Meine Kamera ist schwarz und schlicht.
1.3		***zạppen***, *er zappt, er hat gezappt*	Er setzt sich vor den Fernseher und zappt durch die Programme.
	das	***Bọxen*** *(Sg.)*	Eigentlich ist es egal, ob Fußball, Boxen oder Formel-1 läuft.
	die	***Formel-1*** *(Sg.)*	Eigentlich ist es egal, ob Fußball, Boxen oder Formel-1 läuft.
		sprẹchen (über etw.), er spricht über etw., er hat über etw. gesprochen	Sprechen Sie mit Männern nicht über Ihre Gefühle.
		ụnmännlich	Das ist unmännlich.
		ụnsensibel	Männer reden nicht nur wenig, sie sind auch unsensibel.
	die	**Seite**, -n **(gute/schlechte Seiten haben)**	Aber sie haben auch ihre guten Seiten.

	unkompliziert	. . . .	Sie sind unkompliziert.
der	***Kleinwagen**, -*	. . . .	Sie will ihren Kleinwagen in eine fünf Meter lange Parklücke einparken.
die	***Parklücke**, -n*	. . . .	Sie will ihren Kleinwagen in eine fünf Meter lange Parklücke einparken.
	***orientieren (sich)**, er orientiert sich, er hat sich orientiert*	. . . .	Sie haben große Probleme, sich zu orientieren.
	***wiederfinden**, er findet wieder, er hat wiedergefunden*	. . . .	Schuhgeschäfte finden sie jedoch mühelos wieder.
	jedoch	. . . .	Schuhgeschäfte finden sie jedoch mühelos wieder.
	mühelos	. . . .	Schuhgeschäfte finden sie jedoch mühelos wieder.
der	***Kumpel**, -*	. . . .	Es ist nicht in Ordnung, dass Sie sich mit Ihren Kumpeln zum Bier treffen.
	gefühlvoll	. . . .	Frauen sind gefühlvoll und erziehen die Kinder.
	erziehen, er erzieht, er hat erzogen	. . . .	Frauen sind gefühlvoll und erziehen die Kinder.

2 Frauen- und Männerberufe

2.1a

	hoch	. . . .	Hier sehen Sie ausgewählte Berufe mit hohem Frauenanteil.
der	***Frauenanteil**, -e*	. . . .	Hier sehen Sie ausgewählte Berufe mit hohem Frauenanteil.
der/die	***Kosmetiker/in**, -/-nen*	. . . .	Mein Onkel geht immer zum Kosmetiker.
die	***Hauswirtschaft*** *(Sg.)*	. . . .	In der Schule wird auch Hauswirtschaft unterrichtet.
die	***Ernährungswirtschaft*** *(Sg.)*	. . . .	Ich habe einen Abschluss in Ernährungswirtschaft.
die	***Krankenpflege*** *(Sg.)*	. . . .	Sie möchte Karriere in der Krankenpflege machen.
der	***Männeranteil**, -e*	. . . .	Hier sehen sie ausgewählte Berufe mit hohem Männeranteil.
der	***Metallbauberuf**, -e*	. . . .	Der Metallbauberuf ist für Männer attraktiver als für Frauen.
der	***Anlagenbauberuf**, -e*	. . . .	Mein Bruder überlegt, ob er Karriere im Anlagenbauberuf machen möchte.
der	***Elektroberuf**, -e*	. . . .	Findest du den Elektroberuf interessant?

	der/die	**Maler/in**, -/-nen	. . . .	Sie macht eine Ausbildung zur Malerin und Lackiererin.
	der/die	***Lackierer/in**, -/-nen*	. . . .	Sie macht eine Ausbildung zur Malerin und Lackiererin.
	der/die	***Berufskraftfahrer/in**, -/-nen*	. . . .	Berufskraftfahrer müssen oft an der Autobahn schlafen.
2.1b	*der*	***Frauenberuf**, -e*	. . . .	Das ist ein typischer Männerberuf.
	der	***Männerberuf**, -e*	. . . .	Kosmetikerin ist ein typischer Frauenberuf.
2.2a		***biologisch***	. . . .	Es gibt keine biologischen Unterschiede zwischen Männern und Frauen.
2.2b		***Recht haben**, er hat Recht, er hatte Recht*	. . . .	Jeder hat das Recht, einen schönen Beruf zu erlernen.
		genauso sehen (etw.), er sieht etw. genauso, er hat etw. genauso gesehen	. . . .	Das sehe ich genauso.
		widersprechen, er widerspricht, er hat widersprochen	. . . .	Der Talkshow-Moderator widerspricht seinem Gast.

nicht sagen können, er kann nicht sagen, er konnte nicht sagen . . . . Das kann man so nicht sagen.

2.3a

kümmern (sich um etw.), er kümmert sich um etw., er hat sich um etw. gekümmert . . . . Die Mutter kümmert sich sehr gut um die Kinder.

aufwändig . . . . Nach dem Schulabschluss machte sie die aufwändige Ausbildung zur Pilotin.

der/die **Steward/ess**, -s/-en . . . . Alle denken immer, dass sie Stewardess ist.

selbstbewusst . . . . Aber sie hat gelernt, selbstbewusst zu sein.

spotten*, er spottet, er hat gespottet* . . . . Seine alten Kollegen spotten über ihn.

der/die ***Kindergärtner/in****, -/-nen* . . . . Kindergärtner ist ein typischer Frauenberuf.

vorbeikommen*, er kommt vorbei, er ist vorbeigekommen* . . . . Kommen Sie vorbei, wenn Sie Ihren Weg gehen wollen.

die ***Kampagne****, -n* . . . . Der Flyer ist von einer Kampagne zur freien Berufswahl.

die ***Berufswahl*** *(Sg.)* . . . . Der Flyer ist von einer Kampagne zur freien Berufswahl.

3 Über Paare sprechen

3.1a *die* ***Partnerschaft****, -en* . . . . Leben Sie in einer Partnerschaft?

alleine . . . . Warum leben so viele Menschen alleine?

wünschen (sich), er wünscht sich, er hat sich gewünscht . . . . Wünschen Sie sich Kinder?

glauben (an etw.), er glaubt an etw., er hat an etw. geglaubt . . . . Ich glaube an die große Liebe.

der ***Großstadtmensch****, -en* . . . . Drei Großstadtmenschen berichten über die Liebe.

trennen (sich), er trennt sich, er hat sich getrennt . . . . Wir haben uns getrennt; seitdem bin ich Single.

		seitdem	. . . .	Wir haben uns getrennt; seitdem bin ich Single.
		heutig	. . . .	In der heutigen Zeit geht alles so schnell.
	die	***Veränderung**, -en*	. . . .	In der heutigen Zeit gibt es ständig Veränderungen.
		kompliziert	. . . .	Für den Partner ist es oft kompliziert, da mitzukommen.
		vernünftig	. . . .	Viele Paare schaffen es nicht, vernünftig miteinander zu reden.
		miteinander	. . . .	Viele Paare schaffen es nicht, vernünftig miteinander zu reden.
		sinnvoll	. . . .	Es ist sinnvoll, ehrlich zueinander zu sein.
		verständnisvoll	. . . .	Es ist mir wichtig, eine verständnisvolle Freundin zu haben.
		einsam	. . . .	Ich habe keine Angst, einsam zu sein.
		verstehen (sich), sie verstehen sich, sie haben sich verstanden	. . . .	Meine Tochter und ich verstehen uns gut.
3.1b	*der*	***Kinderwunsch*** *(Sg.)*	. . . .	Viele Paare haben einen Kinderwunsch.

3.2a		**sinnlos**	. . . .	Zu viel Lernen ist sinnlos.
		unehrlich	. . . .	Ich bin niemals unehrlich zu meiner besten Freundin.
		unromantisch	. . . .	Mein Freund ist total unromantisch.
		unkritisch	. . . .	Sie ist unkritisch, wenn es um die Partnerwahl geht.
		verständnislos	. . . .	Mein Vater ist manchmal verständnislos, wenn ich von meinen Problemen erzähle.
		humorlos	. . . .	Unser Mathelehrer war immer humorlos.
3.3	*der*	***Salsakurs**, -e*	. . . .	Wir gehen Sonntag gemeinsam zum Salsakurs.
3.5	*der*	***Abwasch** (Sg.)*	. . . .	Die Eltern kochen und die Kinder machen den Abwasch.
	das	**Bett machen**, er macht das Bett, er hat das Bett gemacht	. . . .	Früher hat meine Mutter jeden Morgen mein Bett gemacht.
		gießen, er gießt, er hat gegossen	. . . .	Vergiss nicht, die Blumen zu gießen!
	die	**Wäsche**, -n	. . . .	Wasch bitte die Wäsche.

***runterbringen**, er bringt runter, er hat runtergebracht* . . . . Hast du schon den Müll runtergebracht?

***wegbringen**, er bringt weg, er hat weggebracht* . . . . Jemand muss noch die Flaschen wegbringen.

4 Paare lieben – Paare streiten

4.1a

das ***Grüne*** *(Sg.)*	. . . .	Was ist das Grüne in der Soße?
die ***Ebene**, -n*	. . . .	Personen verstehen Nachrichten auf vier Ebenen.
das **Modell**, -e	. . . .	In dem Modell geht es um Kommunikation und Missverständnisse.
das ***Missverständnis**, -se*	. . . .	In dem Modell geht es um Kommunikation und Missverständnisse.
der ***Psychologe**, -n*	. . . .	Nach dem Psychologen Schulz von Thun hat eine Nachricht vier Ebenen.
die ***Psychologin**, -nen*	. . . .	Die Psychologin arbeitet mit Menschen.
vgl. (= vergleiche)	. . . .	Die vier Ebenen einer Nachricht (vgl. Grafik 5) sind sehr wichtig für die Kommunikation.

	der	***Sender**, -*	. . . .	Der Sender sagt einen Satz, den der Empfänger verstehen muss.
	der	**Empfänger**, -	. . . .	Der Sender sagt einen Satz, den der Empfänger verstehen muss.
4.4a		***bissfest***	. . . .	Bitte koch die Nudeln nicht zu weich, sondern bissfest.
4.5b		**möglicherweise**	. . . .	Möglicherweise haben die Personen auf dem Foto Streit.
4.6a		***chemisch***	. . . .	Liebe ist ein chemischer Vorgang, aber es macht Spaß, die Formel zu suchen!
	der	***Vorgang**, -ä-e*	. . . .	Liebe ist ein chemischer Vorgang, aber es macht Spaß, die Formel zu suchen!
	die	***Formel**, -n*	. . . .	Liebe ist ein chemischer Vorgang, aber es macht Spaß, die Formel zu suchen!

Ü Übungen

Ü1a	*der*	***Duft**, -ü-e*	. . . .	In der Parfümerie kann man verschiedene Düfte riechen.
	der	**Gang**, -ä-e	. . . .	Das Fahrrad hat 28 Gänge.
	die	**Durchsage**, -n	. . . .	Hören Sie die Durchsage im Kaufhaus.
Ü5a		***familiär***	. . . .	Der Hausmann übernimmt viele familiäre Pflichten.
	die	**Pflicht**, -en	. . . .	In der Prüfung ist die Höraufgabe Pflicht.
Ü5b	*die*	***Berufstätigkeit** (Sg.)*	. . . .	Die Berufstätigkeit von Frauen ist geringer als die von Männern.
	die	***Berufstätigenquote**, -n*	. . . .	Die Berufstätigenquote von Frauen in Deutschland ist 59%.
	die	***Teilzeitquote**, -n*	. . . .	Die Teilzeitquote von Frauen in Deutschland ist 32%.
Ü10a	*der*	***Kerzenschein** (Sg.)*	. . . .	Ich liebe ein romantisches Essen bei Kerzenschein.
Ü10e	*die*	***Wochenendbeziehung**, -en*	. . . .	Ich suche eine Frau für eine romantische Wochenendbeziehung.

Ü18a

befinden (sich), er befindet sich, er hat sich befunden . . . . Die beiden befinden sich draußen.

Ü Zertifikatstraining

der ***Verdienstunterschied**, -e* . . . . Für den Verdienstunterschied gibt es verschiedene Gründe.

die ***Erziehungszeit**, -en* . . . . Frauen unterbrechen ihren Job häufig für eine Erziehungszeit.

die ***Chefetage**, -n* . . . . In den Chefetagen findet man weniger Frauen als Männer.

der ***Gehaltsunterschied**, -e* . . . . Die Gehaltsunterschiede zwischen Männern und Frauen sind sehr groß.

4 Arbeit im Wandel

4 Arbeit im Wandel

der **Arbeiter**, - . . . . Die Arbeiter im Bergwerk müssen sehr hart arbeiten.

die ***Kohle*** *(Sg.)* . . . . Hier wird Kohle abgebaut.

das **Kraftwerk**, -e . . . . In einem Kraftwerk wird Strom produziert.

das ***Bergwerk****, -e* . . . . Die Arbeit im Bergwerk ist hart.

die ***Industrieanlage****, -n* . . . . Mein Cousin arbeitet in einer modernen Industrieanlage.

1 Die größte Stadt Deutschlands

1.1 der **Kilometer (km)**, - . . . . Von Berlin nach Potsdam sind es nur wenige Kilometer.

das **Bundesland**, -ä-er . . . . Köln liegt im Bundesland Nordrhein-Westfalen.

in der Nähe von . . . . Potsdam liegt in der Nähe von Berlin.

1.2a *der* ***Bergmann****, -ä-er* . . . . Der Bergmann arbeitet in einem Bergwerk.

der/ die	***Kamerad/in**, -en/-nen*	. . . .	Kumpel ist ein anderes Wort für Kamerad.
der	***Kleingarten**, -ä-*	. . . .	In einer Großstadt haben viele Leute einen Kleingarten in einer Kolonie.
die	***Kolonie**, -n*	. . . .	In einer Großstadt haben viele Leute einen Kleingarten in einer Kolonie.
die	***Brieftaube**, -n*	. . . .	Brieftauben sind das Hobby von meinem Großvater.
	***abbauen**, er baut ab, er hat abgebaut*	. . . .	In einem Bergwerk wird Kohle abgebaut.
der	***Schrebergarten**, -ä-*	. . . .	Am Wochenende fahren wir in unseren Schrebergarten.
der	***Ruhrpott-Charme** (Sg.)*	. . . .	Ein Förderturm im Hintergrund des Fotos: Das ist Ruhrpott-Charme!
das	***Stahlwerk**, -e*	. . . .	Im Ruhrgebiet gibt es große Stahlwerke.
der	***Hintergrund**, -ü-e*	. . . .	Ein Förderturm im Hintergrund des Fotos: Das ist Ruhrpott-Charme!
der	***Förderturm**, -ü-e*	. . . .	Ein Förderturm im Hintergrund des Fotos: Das ist Ruhrpott-Charme!

		unter Tage	. . . .	Ein Bergmann arbeitet unter Tage.
		malochen	. . . .	Wenn man schwer arbeiten muss, malocht man.
	das	***Rennpferd***, *-e*	. . . .	„Rennpferd" ist der Name von einer Brieftaube.
1.2c	*die*	***Urgroßeltern*** *(Pl.)*	. . . .	Meine Urgroßeltern sind 1920 ins Ruhrgebiet gekommen.
	der	***Urgroßvater***, *-ä-*	. . . .	Mein Urgroßvater konnte wegen der Gesundheit nicht bis 65 arbeiten.
	der	***Bergarbeiter***, *-*	. . . .	Frau Kowalskis Vater arbeitet als Bergarbeiter.
		züchten, *er züchtet, er hat gezüchtet*	. . . .	Onkel Helmut züchtete gemeinsam mit Tante Agathe Tauben.
	die	**Jugend** (Sg.)	. . . .	Mein Vater spielte in seiner Jugend auch selbst Fußball.

2 Von der Stahlfabrik zur Traumfabrik

die	***Stahlfabrik***, *-en*	. . . .	In der Stahlfabrik ist die Arbeit sehr hart.
die	***Traumfabrik***, *-en*	. . . .	Hollywood ist die bekannteste Traumfabrik.

2.1a

	gehören (zu etw.), er gehört zu etw., er hat zu etw. gehört	. . . .	Zu meinem Häuschen gehört auch ein Schrebergärtchen.
die	***Industrieregion**, -en*	. . . .	Das Ruhrgebiet ist eine Industrieregion.
	entstehen, er entsteht, er ist entstanden	. . . .	Die Industrieregion ist im 20. Jahrhundert entstanden.
	u. a. (= unter anderem)	. . . .	Zum Ruhrgebiet gehören u. a. Bochum und Duisburg.
der	**Einwohner**, -	. . . .	Das Ruhrgebiet hat heute fast sechs Millionen Einwohner.
die	**Bevölkerung**, -en	. . . .	10% der deutschen Bevölkerung leben im Ruhrgebiet.
die	***Industrialisierung** (Sg.)*	. . . .	Aufgrund der Industrialisierung kamen viele Menschen ins Ruhrgebiet.
der	***Abbau** (Sg.)*	. . . .	Es begann mit dem Abbau von Kohle, dem schwarzen Gold.
das	***Städtchen**, -*	. . . .	Meine Eltern wohnen in einem kleinen Städtchen.
das	**Gold** (Sg.)	. . . .	Es begann mit dem Abbau von Kohle, dem schwarzen Gold.

die	***Zeche**, -n*	. . . .	Bergarbeiter arbeiten in einer Zeche.
die	***Stahlproduktion**, -en*	. . . .	Die Stahlproduktion ist wichtig für die Industrieregion.
das	***Häuschen**, -*	. . . .	Wir haben ein Häuschen im Grünen.
die	***Bergarbeitersiedlung**, -en*	. . . .	Arbeitsmigranten lebten in einer Bergarbeitersiedlung.
der	***Kohlekonzern**, -e*	. . . .	Sie wollten bei den Kohle- und Stahlkonzernen Arbeit finden.
der	***Stahlkonzern**, -e*	. . . .	Sie wollten bei den Kohle- und Stahlkonzernen Arbeit finden.
	***hinzukommen**, er kommt hinzu, er ist hinzugekommen*	. . . .	Es kamen nochmal über eine Million Arbeitsmigranten hinzu.
das	***Südeuropa** (Sg.)*	. . . .	In Südeuropa ist es viel wärmer als hier.
der/die	***Arbeitsmigrant/in**, -en/-nen*	. . . .	Arbeitsmigranten lebten in einer Bergarbeitersiedlung.
die	***Stahlindustrie**, -n*	. . . .	Arbeitsplätze in der Stahlindustrie waren beliebt.
der	***Bergbau** (Sg.)*	. . . .	Die Arbeit im Bergbau ist schmutzig und hart.

	schmutzig	. . . .	Die Arbeit im Bergbau ist schmutzig und hart.
die	***Sozialgesetzgebung**, -en*	. . . .	Vor der Sozialgesetzgebung Bismarcks gab es keine Sozialversicherung.
die	***Sozialversicherung**, -en*	. . . .	Vor der Sozialgesetzgebung Bismarcks gab es keine Sozialversicherung.
der	***Arbeitsunfall**, -ä-e*	. . . .	Jeden Tag gab es 40 Arbeitsunfälle.
der	***Malocher**, -*	. . . .	Die Malocher waren mit 40 Jahren verbraucht.
das	***Fremdwort**, -ö-er*	. . . .	Freizeit war ein Fremdwort für sie.
die	***Stammkneipe**, -n*	. . . .	Nach der Arbeit gab es noch ein Bierchen in der Stammkneipe.
die	***Gartenkolonie**, -n*	. . . .	Am Wochenende fuhr die ganze Familie in die Gartenkolonie.
das	***Schrebergärtchen**, -*	. . . .	Zu meinem Häuschen gehört auch ein Schrebergärtchen.
	samstagnachmittags	. . . .	Samstagnachmittags geht der Junge immer Fußball spielen.
	auf Schalke	. . . .	Samstagnachmittags ging man auf Schalke.
das	***Revier**, -e*	. . . .	Die Arbeiter sind ihrem Revier treu.

		treu	. . . .	Die Arbeiter sind ihrem Revier treu.
		deutsch-polnisch	. . . .	Das Treffen ist ein Zeichen der deutsch-polnischen Freundschaft.
	die	***Belegschaft***, *-en*	. . . .	Auf dem Foto sieht man die Belegschaft einer Zeche.
	die	***Kinderarbeit*** *(Sg.)*	. . . .	Kinderarbeit war normal.
	der	***Wandel*** *(Sg.)*	. . . .	Das Ruhrgebiet ist eine Region im Wandel.
2.1b	*die*	***Arbeitsbedingung***, *-en*	. . . .	Die Arbeitsbedingungen im Bergbau waren nicht besonders gut.
2.5a	*das*	***Schauspielhaus***, *-äu-er*	. . . .	In Bochum steht ein renommiertes Schauspielhaus.
	das	**Technologiezentrum**, *Technologiezentren*	. . . .	Das Technologiezentrum in Oberhausen ist bekannt.
	der	***Campus***, *-se*	. . . .	Der Campus der Universität ist sehr modern.
	die	***Vielfalt*** *(Sg.)*	. . . .	Die Vielfalt des Ruhrgebiets ist wichtig für den Tourismus.
2.5b	*die*	***Nachkriegszeit***, *-en*	. . . .	In der Nachkriegszeit gab es im Ruhrgebiet einen wirtschaftlichen Aufschwung.

	bombardieren, *er bombardiert, er hat bombardiert*	. . . .	Im 2. Weltkrieg wurde das Ruhrgebiet schwer bombardiert.
	komplett	. . . .	Viele Städte wurden fast komplett zerstört.
	wirtschaftlich	. . . .	Nach 1945 kam der wirtschaftliche Aufschwung.
der	***Aufschwung***, *-ü-e*	. . . .	Nach 1945 kam der wirtschaftliche Aufschwung.
die	***Wirtschaftskrise***, *-n*	. . . .	Wegen der Wirtschaftskrise mussten viele Zechen schließen.
die	***Frührente***, *-n* ***(in Frührente gehen)***	. . . .	Viele Arbeiter mussten in Frührente gehen.
das	***Kulturzentrum***, *Kulturzentren*	. . . .	In alten Zechen befinden sich heute Kulturzentren.
der	***Dienstleistungsbereich***, *-e*	. . . .	Es gibt viele Jobs im Dienstleistungsbereich.
die	***Schwerindustrie***, *-n*	. . . .	Die Schwerindustrie hat viel mehr männliche als weibliche Arbeiter.
der	***Badesee***, *-n*	. . . .	Im Ruhrgebiet gibt es überall Badeseen.
der	***Freizeitpark***, *-s*	. . . .	Im Ruhrgebiet gibt es überall Badeseen und Freizeitparks.
das	***Kinozentrum***, *Kinozentren*	. . . .	Es gibt überall große Kinozentren.

		renommiert	. . . .	In Bochum steht ein renommiertes Schauspielhaus.
	die	***Fußballmannschaft****, -en*	. . . .	Das Ruhrgebiet hat mehr Fußballmannschaften in der 1. Bundesliga als jede andere Region.
	die	***Bundesliga****, Bundesligen*	. . . .	Das Ruhrgebiet hat mehr Fußballmannschaften in der 1. Bundesliga als jede andere Region.
	das	***Fußballstadion****, Fußballstadien*	. . . .	In einigen Fußballstadien finden auch Popkonzerte statt.
	das	***Popkonzert****, -e*	. . . .	In einigen Fußballstadien finden auch Popkonzerte statt.
2.7a		**bekannt (sein für)**	. . . .	Das Ruhrgebiet ist bekannt für die Industrie.
	die	***Bevölkerungszahl****, -en*	. . . .	Wie hoch war die Bevölkerungszahl vor 1800?
	der	***Rohstoff****, -e*	. . . .	Für welche Rohstoffe ist Ihr Land besonders bekannt?
2.7b	die	**Gegend**, -en	. . . .	Ich möchte über eine Gegend in meinem Land berichten.

3 Arbeitsunfälle

3.1a	*die*	**Achtung** *(Sg.)*	. . . .	Achtung: Laser!
	der	**Strom** (Sg.)	. . . .	Mein Computer verbraucht viel Strom.
	das	**Gift**, -e	. . . .	Gift ist für Kinder gefährlich.
	der	***Laser**, -*	. . . .	Ein Laser kann ohne Probleme Stahl zerstören.
	der	***Absturz**, -ü-e*	. . . .	In den Bergen wird oft vor einem Absturz gewarnt.
	die	***Stolpergefahr**, -en*	. . . .	Wenn die Straße kaputt ist, gibt es eine große Stolpergefahr.
		feuergefährlich	. . . .	Mein neues Kleid ist feuergefährlich.
3.2b	*die*	***Akte**, -n*	. . . .	Mit schweren Akten auf dem Arm stolpert sie und bricht sich den rechten Arm.
		***stolpern (über etw.)**, er stolpert über etw., er ist über etw. gestolpert*	. . . .	Sie stolpert und bricht sich den rechten Arm.
		brechen (sich etw.), er bricht sich etw., er hat sich etw. gebrochen	. . . .	Sie stolpert und bricht sich den rechten Arm.

		wochenlang	. . . .	Tanja muss wochenlang in einer teuren Spezialklinik bleiben.
	die	***Spezialklinik**, Spezialkliniken*	. . . .	Tanja muss wochenlang in einer teuren Spezialklinik bleiben.
		glatt	. . . .	Er fährt auch im Winter bei glatter Straße.
	die	**Kurve**, -n	. . . .	Marco bremst in einer gefährlichen Kurve.
		bremsen, er bremst, er hat gebremst	. . . .	Marco bremst in einer gefährlichen Kurve.
		***wegrutschen**, er rutscht weg, er ist weggerutscht*	. . . .	Die Maschine rutscht ihm weg.
	der	***Lenker**, -*	. . . .	Die Maschine rutscht ihm weg und er fliegt über den Lenker.
	die	***Wirbelsäulenverletzung**, -en*	. . . .	Wegen einer Wirbelsäulenverletzung muss er in eine teure Klinik.
	die	**Klinik**, Kliniken	. . . .	Wegen einer Wirbelsäulenverletzung muss er in eine teure Klinik.
3.4	*die*	***Berufsgenossenschaft**, -en*	. . . .	In einer Berufsgenossenschaft hat man viele Vorteile.

	eingehen, *er geht ein, er ist eingegangen*	. . . .	Der Arzt geht auf alle Unfalldetails ein.
	gefährdet	. . . .	Junge Arbeiter sind besonders gefährdet.
	gesetzlich	. . . .	Die Berufsgenossenschaft ist die gesetzliche Unfallversicherung für Arbeitnehmer und Arbeitnehmerinnen.
	sorgen (für etw.), er sorgt für etw., er hat für etw. gesorgt	. . . .	Sie sorgt für eine optimale Behandlung und übernimmt die Kosten.
die	***Altersgruppe***, *-n*	. . . .	Die Altersgruppe der jungen Berufstätigen ist besonders gefährdet.
	dahin	. . . .	Gehen Sie bitte bis dahin und warten dann auf mich.
	erleiden, *er erleidet, er hat erlitten*	. . . .	Sie kümmert sich um Personen, die einen Unfall am Arbeitsplatz erleiden.
die	***Behandlung***, *-en*	. . . .	Sie sorgt für eine optimale Behandlung und übernimmt die Kosten.
die	**Rente**, -n	. . . .	Wenn nötig, zahlt die Berufsgenossenschaft sogar die Rente.

das ***Unfallrisiko****, Unfallrisiken* . . . . Das Unfallrisiko für junge Berufstätige ist laut Statistik besonders hoch.

die ***Unfallhäufigkeit****, -en* . . . . Die 20-29-Jährigen stehen bei der Unfallhäufigkeit an der Spitze.

die ***Spitze****, -n* . . . . Die 20-29-Jährigen stehen bei der Unfallhäufigkeit an der Spitze.

jährlich . . . . Jährlich werden etwa 1,2 Millionen Arbeitsunfälle gemeldet.

der ***Versicherte****, -n* . . . . Bei jedem dritten Unfall sind die Versicherten jünger als 30 Jahre.

riskieren*, er riskiert, er hat riskiert* . . . . Junge Berufstätige riskieren mehr als ältere Arbeitnehmer.

3.5 **runterfallen**, er fällt runter, er ist runtergefallen . . . . Das Glas ist runtergefallen.

auf dem Weg zu etw. (sein) . . . . Ich bin auf dem Weg zu meiner Tante.

ausrutschen*, er rutscht aus, er ist ausgerutscht* . . . . Ich rutschte auf der nassen Straße aus.

stoßen (sich), er stößt sich, er hat sich gestoßen . . . . Ich stieß mich an der Tür.

	die	**Verletzung**, -en	. . . .	Wegen der Verletzung musste ich ins Krankenhaus.
	der	***Notfallwagen**, -*	. . . .	Ich musste mit dem Notfallwagen in die Klinik.
3.6	der/die	**Chef/in**, -s/-nen	. . . .	Die Chefin des Unternehmens ist sehr energisch.
	das	***Kantinenessen**, -*	. . . .	Das Kantinenessen ist heute viel besser als früher.
3.8a	*der*	***Nachhauseweg**, -e*	. . . .	Er wurde gestern auf dem Nachhauseweg verletzt.
		feuchtfröhlich	. . . .	Er war auf dem Nachhauseweg von einer feuchtfröhlichen Firmenfeier.
	die	***Firmenfeier**, -n*	. . . .	Er war auf dem Nachhauseweg von einer feuchtfröhlichen Firmenfeier.
	der	***Dienstwagen**, -*	. . . .	Er war mit dem neuen Dienstwagen unterwegs.
	der	**Wagen**, -	. . . .	Der Fahrer des anderen Wagens musste in die Klinik transportiert werden.
		örtlich	. . . .	Er musste mit dem örtlichen Rettungshubschrauber transportiert werden.
	der	***Rettungshubschrauber**, -*	. . . .	Er musste mit dem örtlichen Rettungshubschrauber transportiert werden.

		entfernen (sich), er entfernt sich, er hat sich entfernt	Der Fahrer musste in die 180km entfernte Klinik in Bochum transportiert werden.
		transportieren, er transportiert, er hat transportiert	Er musste mit dem örtlichen Rettungshubschrauber transportiert werden.
	die	***Hilfsaktion***, *-en*	Eine Verkäuferin wurde bei einer Hilfsaktion selber verletzt.
	der	***Gehstock***, *-ö-e*	Sie stolperte über den Gehstock der alten Dame.
	die	***Kopfverletzung***, *-en*	Sie wurde mit leichten Kopfverletzungen ins Krankenhaus gebracht.
	die	***Schnittwunde***, *-n*	Sie wurde mit einer tiefen Schnittwunde ins Krankenhaus gebracht.
3.9	der	**Zusammenhang**, -ä-e	Der Unfall steht im Zusammenhang mit der beruflichen Tätigkeit.
	die	***Dienstzeit***, *-en*	Die Unfälle müssen während der Dienstzeit passieren.
	das	***Firmenfest***, *-e*	Auch Unfälle bei Firmenfesten sind ein Fall für die Berufsgenossenschaft.
		anwesend	Der Chef muss bei der Party anwesend sein.

3.10	*der*	***Einsatz**, -ä-e*	. . . .	Gestern kam es zu einem Einsatz bei einer jungen Familie.
	das	***Spielzeugauto**, -s*	. . . .	Er stolpert über ein kleines Spielzeugauto.
	der	***Fußboden**, -ö-*	. . . .	Das Spielzeugauto lag auf dem Fußboden.

Ü Übungen

Ü2	*die*	***Theaterhalle**, -n*	. . . .	In der Theaterhalle wird ein Musical gezeigt.
	das	***Bergbau-Museum**, Bergbau-Museen*	. . . .	In dieser Stadt ist das bekannteste Bergbau-Museum der Welt.
Ü3	*das*	***Ruhrgebietswort**, -ö-er*	. . . .	Welche Ruhrgebietswörter haben Sie schon gelernt?
Ü4		**halbtags**	. . . .	Beide Elternteile arbeiten halbtags.
Ü5b	*das*	***Spezialglas**, -ä-er*	. . . .	Die Firma stellt Spezialglas her.
Ü6a	*der*	***Freizeitspaß** (Sg.)*	. . . .	Der Schrebergarten und Fußball waren der Freizeitspaß der Arbeiter.
	der	***Bergindustriearbeiter**, -*	. . . .	Viele Bergindustriearbeiter wurden krank.

	der ***Stahlindustriearbeiter**, -*	. . . .	Viele Stahlindustriearbeiter hatten Arbeitsunfälle.
Ü6c	*der* ***Pott*** *(Sg.)*	. . . .	Wann kamen die ersten Arbeitsmigranten in den Pott?
Ü8a	*die* ***Freizeitbeschäftigung**, -en*	. . . .	Man wollte eine sinnvolle Freizeitbeschäftigung für die Kinder.
	idyllisch	. . . .	Der Schrebergarten war ein idyllischer Platz.
	die ***Laube**, -n*	. . . .	In der Laube konnte man im Sommer übernachten.
	der ***Wohnraum**, -äu-e*	. . . .	Die Laube ist gleichzeitig Wohnraum und Raum für Gartengeräte.
	das ***Gartengerät**, -e*	. . . .	Die Laube ist gleichzeitig Wohnraum und Raum für Gartengeräte.
Ü9	*das* ***Gläschen**, -*	. . . .	Die Kanzlerin trifft sich mit Hollande auf ein Gläschen Wein.
	das ***Bierchen**, -*	. . . .	Nach drei Bierchen sollte man nicht mehr Fahrrad fahren.
	das ***Tischlein**, -*	. . . .	Das Tischlein im Märchen deckt sich alleine.

		***decken**, er deckt, er hat gedeckt*	. . . .	Das Tischlein im Märchen deckt sich alleine.
	das	***Wetterchen** (Sg.)*	. . . .	Das wird ein Wetterchen!
	das	***Süppchen**, -*	. . . .	Der Chef kocht sein eigenes Süppchen.
Ü10a	*die*	***IT-Sicherheit** (Sg.)*	. . . .	Ich möchte IT-Sicherheit studieren.
	das	***Erholungsgebiet**, -e*	. . . .	Auf vielen Zechengeländen findest du jetzt Erholungsgebiete.
	die	***Kulturszene** (Sg.)*	. . . .	Im Ruhrgebiet gibt es eine große Kulturszene.
	die	***Kulturhauptstadt**, -ä-e*	. . . .	Essen war 2010 Kulturhauptstadt Europas.
	das	***Forschungszentrum**, Forschungszentren*	. . . .	Das Ruhrgebiet hat viele moderne Forschungszentren.
	die	***Informationstechnik** (Sg.)*	. . . .	Sie möchte Informationstechnik studieren.
Ü14a	*der*	***Wegeunfall**, -ä-e*	. . . .	Frau Müller erlitt gestern einen Wegeunfall.
Ü14b	*der*	***Heimweg**, -e*	. . . .	Frau Lindner stolpert auf dem Heimweg.
	das	***Handgelenk**, -e*	. . . .	Frau Lindner bricht sich das Handgelenk.
Ü15a	*die*	***Schutzkleidung** (Sg.)*	. . . .	Er zieht vor der Arbeit Schutzkleidung und eine Schutzbrille an.

	die	**Schutzbrille**, *-n*	. . . .	Er zieht vor der Arbeit Schutzkleidung und eine Schutzbrille an.
	die	**Hektik** (*Sg.*)	. . . .	Verfall nicht in Hektik, das ist ungesund.
		verfallen, *er verfällt, er ist verfallen*	. . . .	Verfall nicht in Hektik, das ist ungesund.
	der	**Schutzhandschuh**, *-e*	. . . .	Bergarbeiter brauchen bei der Arbeit Schutzhandschuhe.
	die	***Stolperfalle***, *-n*	. . . .	Auf Baustellen gibt es viele Stolperfallen.
		wegräumen, *er räumt weg, er hat weggeräumt*	. . . .	Der Arbeiter räumt die Stolperfallen weg.
	der	**Arbeitsschutz** (*Sg.*)	. . . .	Der Arbeitsschutz ist im Bergbau sehr wichtig.
Ü18a	*die*	**Reha-Klinik**, *Reha-Kliniken*	. . . .	Ich musste fünf Monate in eine teure Reha-Klinik.
		freiwillig	. . . .	Ich habe mich freiwillig bei der BG Bau versichert.
	die	**Kosten** (Pl.)	. . . .	Die Kosten übernimmt die BG Bau.
Ü20		***Bierglas***, *-ä-er*	. . . .	Ein Mann wollte ein Bierglas essen.
		bringen (auf eine Idee), *er bringt, er hat gebracht*	. . . .	Niemand weiß, wer ihn auf die verrückte Idee gebracht hat.

das **Verhalten** (Sg.) . . . . Das Verhalten am Arbeitsplatz ist wichtig für die Karriere.

Ü21a *die* ***Unfallmeldung****, -en* . . . . Hören Sie die Unfallmeldung.

stürzen, er stürzt, er ist gestürzt . . . . Mein Freund ist auf der Treppe gestürzt.

Ü Zertifikatstraining

familienfreundlich . . . . Steffens Beruf ist nicht sehr familienfreundlich.

5 Schule und Lernen

der ***Schulhof**, -ö-e*	In der Pause spielen die Kinder auf dem Schulhof.
das ***Lehrerzimmer**, -*	Die Lehrer können im Lehrerzimmer den Unterricht vorbereiten.
die ***Sporthalle**, -n*	Zum Sportunterricht gehen alle in die Sporthalle.
das **Zeugnis (bekommen)**, -se	Am Ende des Schuljahres bekommen alle Schüler ein Zeugnis.
die **Nachhilfe (geben)**, -n	Wenn du schlecht in Mathe bist, brauchst du Nachhilfe.
der ***Klassenausflug**, -ü-e*	Dieses Jahr machen wir einen Klassenausflug nach Berlin.

1 Schulalltag in Deutschland

1.2a *das* ***Latein*** *(Sg.)*	Montags haben wir zwei Stunden Latein.
der ***Stundenplan**, -ä-e*	Der Stundenplan der Klasse 8C hat sich geändert.

die	**Mathematik (Mathe)** (Sg.)	. . . .	In der ersten Stunde am Dienstag haben wir Mathe.
die	**Religion**, -en	. . . .	Am Donnerstag haben wir eine Stunde Religion.
die	**Physik** (Sg.)	. . . .	Ich bin sehr gut in Physik, aber nicht in Mathe.
die	***Ethik*** *(Sg.)*	. . . .	Der Unterricht in Ethik ist meistens interessant.
die	**Biologie** (Sg.)	. . . .	Meine beste Freundin mag Biologie am meisten.
	zweiwöchig	. . . .	Die letzte Stunde am Donnerstag ist nur zweiwöchig.
der	**Wettbewerb**, -e	. . . .	Die Klasse macht bei einem Wettbewerb in Mathe mit.
die	***Matheaufgabe****, -n*	. . . .	Wir lösen gemeinsam eine schwierige Matheaufgabe.
die	***Freischaltung****, -en*	. . . .	Die Freischaltung der Matheaufgaben im Netz ist am 21. März um 18 Uhr.
die	***Abholung****, -en*	. . . .	Die Abholung der Aufgaben ist in Raum 126.
der	***Einsendeschluss*** *(Sg.)*	. . . .	Einsendeschluss für die Matheaufgaben ist am 22. März um acht Uhr.
der	***Schlafsack****, -ä-e*	. . . .	Du musst einen Schlafsack mitbringen.

die	***Schulkantine**, -n*	. . . .	Essen und Getränke gibt es in der Schulkantine.
der/die	***Schulsozialarbeiter/in**, -/-nen*	. . . .	Der Schulsozialarbeiter hat jeden Tag von 13 – 17 Uhr Sprechstunde.
die	***Sprechstunde**, -n*	. . . .	Der Schulsozialarbeiter hat jeden Tag von 13 – 17 Uhr Sprechstunde.
der	***Schwimmkurs**, -e*	. . . .	Im Schwimmkurs lernen die Kinder, wie man schnell und sicher schwimmt.
die	***Schulband**, -s*	. . . .	In der Schulband spielen zwei Kinder Gitarre.
die	***News** (Pl.)*	. . . .	Es gibt News zu den Arbeitsgruppen.
die	***Arbeitsgruppe**, -n (AG), -s*	. . . .	Es gibt News zu den Arbeitsgruppen.
das	***AG-Angebot**, -e*	. . . .	Das AG-Angebot meiner Schule ist sehr gut.
die	***Medien-AG**, -s*	. . . .	Es gibt eine Medien-AG, eine Literatur-AG und eine Theater-AG.
die	***Literatur-AG**, -s*	. . . .	Es gibt eine Medien-AG, eine Literatur-AG und eine Theater-AG.
die	***Theater-AG**, -s*	. . . .	Es gibt eine Medien-AG, eine Literatur-AG und eine Theater-AG.

	***programmieren**, er programmiert, er hat programmiert*	Hier lernst du zu programmieren oder deine eigenen Trickfilme zu machen.
der	***Comic**, -s*	Hier lernst du zu programmieren oder deine eigenen Comics zu machen.
der	***Trickfilm**, -e*	Hier lernst du deine eigenen Trickfilme zu machen.
	jeden (+ Tag, Monat)	Wir treffen uns jeden Dienstag im Medienzentrum.
die	***Abfahrtszeit**, -en*	Die Abfahrtszeiten der Buslinien haben sich geändert.
	gültig ab	Der neue Busfahrplan ist ab Montag gültig.
die	**Linie**, -n	Die Linie fährt jetzt bis zum ZOB.
der	***Zentrale Omnibusbahnhof**, -ö-e (ZOB), -s*	Die Linie fährt jetzt bis zum ZOB.
das	***Austauschjahr**, -e*	Maria macht ein Austauschjahr in den USA.
der	***Aushang**, -ä-e*	Sehen Sie sich die Aushänge an.
die	***Kontaktdaten** (Pl.)*	Wo finde ich die Kontaktdaten des Schulsozialarbeiters?
die	**Werbung (für etw.)** (Sg.)	Dieser Aushang macht Werbung für die Medien-AG.

	der **Busfahrplan**, *-ä-e*	. . . .	Der neue Busfahrplan ist ab Montag gültig.
1.3b	*die* **Leseliste**, *-n*	. . . .	Auf der Leseliste stehen zwei Romane und ein Drama.

2 Das deutsche Schulsystem

2.1a	*der* **Abiturient**, *-en*	. . . .	Abiturienten können auf eine Universität oder eine Fachhochschule gehen.
	die **Stadtteilschule**, *-en*	. . . .	In einigen Regionen gibt es Stadtteilschulen.
	der **Bildungsweg**, *-e*	. . . .	Welcher Bildungsweg ist für Ihr Kind optimal?
	der **Überblick**, *-e*	. . . .	Der Artikel gibt einen Überblick über das Schulsystem in Deutschland.
	das **Schulsystem**, *-e*	. . . .	In jedem Bundesland ist das Schulsystem ein bisschen anders.
	die **Grundschule**, *-n*	. . . .	Alle Kinder kommen mit sechs Jahren in die Grundschule.
	die **Hauptschule**, *-n*	. . . .	In manchen Bundesländern werden Haupt- und Realschulen zusammengelegt.

die	***Realschule***, *-n*	. . . .	In manchen Bundesländern werden Haupt- und Realschulen zusammengelegt.
die	**Alternative**, -n	. . . .	Die Alternative zu diesem dreigliedrigen Schulsystem ist die Gesamtschule.
die	***Gesamtschule***, *-n*	. . . .	Die Alternative zu diesem dreigliedrigen Schulsystem ist die Gesamtschule.
	zusammenlegen, *er legt zusammen, er hat zusammengelegt*	. . . .	In manchen Bundesländern werden Haupt- und Realschulen zusammengelegt.
die	***Regionalschule***, *-n*	. . . .	In manchen Bundesländern gibt es Regionalschulen.
der/ die	***Hauptschüler/in***, *-/-nen*	. . . .	Einige Hauptschüler verlassen die Schule nach der neunten Klasse.
der	***Ausbildungsplatz***, *-ä-e*	. . . .	Sie suchen einen Ausbildungsplatz.
	weitere	. . . .	Manche gehen ein weiteres Jahr zur Schule und machen ihren Realschulabschluss.
der	***Realschulabschluss***, *-ü-e*	. . . .	Manche gehen ein weiteres Jahr zur Schule und machen ihren Realschulabschluss.

der/ die	**Realschüler/in**, *-/-nen*	. . . .	Die Realschüler gehen insgesamt 10 Jahre zur Schule.
die	**Berufsschule**, *-n*	. . . .	Sie lernen drei Jahre lang einen Beruf in Betrieben und gehen zur Berufsschule.
die	**Fachoberschule**, *-n*	. . . .	Manche Realschüler gehen auch weiter zur Fachoberschule und machen ihr Fachabitur.
das	**Fachabitur** *(Sg.)*	. . . .	Manche Realschüler gehen auch weiter zur Fachoberschule und machen ihr Fachabitur.
die	**Schulzeit**, *-en*	. . . .	Auf dem Gymnasium ist die Schulzeit am längsten.
der/ die	**Gymnasiast/in**, *-en/-nen*	. . . .	Gymnasiasten gehen insgesamt 12 Jahre zur Schule.
	bewerben (sich um etw.), er bewirbt sich um etw., er hat sich um etw. beworben	. . . .	Mit dem Abitur bewerben sie sich um einen Studienplatz.
die	**Fachhochschule**, *-n*	. . . .	Sie bewerben sich um einen Studienplatz an einer Fachhochschule.

		schreiben (an), er schreibt an, er hat an ... geschrieben	Sie schreibt einen Brief an ihre Versicherung.
2.2b		**gehen (auf etw.)**, er geht auf etw., er ist auf etw. gegangen	Viele Realschüler gehen nach dem Schulabschluss auf eine Fachoberschule.
	der	***Schulabschluss***, *-ü-e*	Nach zehn Jahren machen Realschüler ihren Schulabschluss.
2.3a		***über uns***	Bei „Über uns“ stehen viele Informationen zu dieser Schule.
	das	***Nachmittagsangebot***, *-e*	Lesen Sie hier über das Nachmittagsangebot für die Schüler.
	das	***Porträt***, *-s*	Es gibt ein Porträt des Hausmeisters und der Schulsozialarbeiterin.
	der/die	**Hausmeister/in**, -/-nen	Es gibt ein Porträt des Hausmeisters und der Schulsozialarbeiterin.
	der/die	***Schlosser/in***, *-/-nen*	Ich habe eigentlich Schlosser gelernt.

	überwachen, *er überwacht, er hat überwacht*	. . . .	Ich überwache die Heizung und repariere kaputte Kopiergeräte.
das	***Kopiergerät***, *-e*	. . . .	Ich überwache die Heizung und repariere kaputte Kopiergeräte.
	räumen, *er räumt, er hat geräumt*	. . . .	Im Winter räume ich Schnee.
	frei haben, er hat frei, er hatte frei	. . . .	Am Wochenende haben Lehrer immer frei.
der	***Ordnungsdienst***, *-e*	. . . .	Ich würde mir einen Ordnungsdienst für die Schüler wünschen.
der	***Klassenraum***, *-äu-e*	. . . .	Sie würden dann vielleicht ihre Klassenräume selber sauberhalten.
	sauberhalten, *er hält sauber, er hat saubergehalten*	. . . .	Sie würden dann vielleicht ihre Klassenräume selber sauberhalten.
	herumliegen, *er liegt herum, er hat herumgelegen*	. . . .	Es würde dann nicht mehr so viel Müll herumliegen.
	finanziell	. . . .	Ich wünschte, dass die Schule mehr finanzielle Mittel hätte.

das	**Mittel**, -	. . . .	Ich wünschte, dass die Schule mehr finanzielle Mittel hätte.
	froh sein (über etw.), er ist froh über etw., er war froh über etw.	. . . .	Er war froh über seine letzte Physikprüfung.
die	***Elterninitiative***, *-n*	. . . .	Wir sind oft froh über die Hilfe von Elterninitiativen.
	schulmüde	. . . .	Mit 15 Jahren sind viele Kinder schulmüde.
der	***Elfjährige***, *-n*	. . . .	Es gibt Elfjährige, mit denen die Eltern und Lehrkräfte nicht mehr klarkommen.
	klarkommen, *er kommt klar, er ist klargekommen*	. . . .	Es gibt Elfjährige, mit denen die Eltern und Lehrkräfte nicht mehr klarkommen.
die	***Arbeitsgemeinschaft***, *-en*	. . . .	Ich leite die Arbeitsgemeinschaften, in denen die Schüler mitarbeiten.
	mitarbeiten, *er arbeitet mit, er hat mitgearbeitet*	. . . .	Ich leite die Arbeitsgemeinschaften, in denen die Schüler mitarbeiten.
die	***Streitschlichter-Gruppe***, *-n*	. . . .	Montags trifft sich die Streitschlichter-Gruppe.
der/ die	***Streitschlichter/in***, *-/-nen*	. . . .	Streitschlichter vermitteln bei Problemen.

	der	**Konflikt**, -e	....	Streitschlichter helfen Konflikte zu lösen.
	die	**Gewalt** (Sg.)	....	Streitschlichter helfen Konflikte ohne Gewalt zu lösen.
		mittwochs	....	Mittwochs übe ich eine Stunde Klavier.
		Danke sagen, er sagt Danke, er hat Danke gesagt	....	Wenn jemand nett war, sollte man immer Danke sagen.
2.4a	die	**Realität**, -en	....	Wenn man hart arbeitet, werden viele Wünsche auch Realität.
	das	***Klassenzimmer***, *-*	....	Ich wünschte, die Schüler würden ihr Klassenzimmer selber sauberhalten.
		aufteilen, *er teilt auf, er hat aufgeteilt*	....	Ich wünschte, ich könnte die Arbeit besser aufteilen.
		einführen, er führt ein, er hat eingeführt	....	Ich wünschte, die Schule würde einen Ordnungsdienst einführen.
2.5a	*das*	***Ferienhaus***, *-äu-er*	....	Ich wäre gern in einem Ferienhaus am Strand.
	das	***Hotelzimmer***, *-*	....	Ich würde ein Hotelzimmer mieten.
	das	**Zelt**, -e	....	Mit einem leichten Zelt könnte ich gut reisen.
	das	***Zugticket***, *-s*	....	Ich buche mir ein Zugticket nach München.

	das	**Boot**, -e	…………	Wir machen einen Familienurlaub mit einem Boot.
	der	***Familienurlaub**, -e*	…………	Wir machen einen Familienurlaub mit einem Boot.
		faulenzen, er faulenzt, er hat gefaulenzt	…………	Am Wochenende können wir entspannen und faulenzen.
		ausgeben, er gibt aus, er hat ausgegeben	…………	Wenn ich könnte, würde ich viel Geld ausgeben – aber ich habe keins!
2.8a	*die*	***Physikprüfung**, -en*	…………	Die Physikprüfung ist nächste Woche.
	der	**Test**, -s	…………	Ich muss die Prüfung wiederholen, weil ich im Test durchgefallen bin.
		***durchfallen**, er fällt durch, er ist durchgefallen*	…………	Ich muss die Prüfung wiederholen, weil ich im Test durchgefallen bin.
		installieren, er installiert, er hat installiert	…………	Könntest du mir helfen, dieses Programm zu installieren?
2.9	die	**Kreide**, -n	…………	Auf der Tafel kann man nur mit Kreide schreiben.
	der	***Schulbeginn** (Sg.)*	…………	Schulbeginn wäre erst um neun Uhr.
	das	***Pflichtfach**, -ä-er*	…………	Ich wünschte, Schach wäre ein Pflichtfach.
	das	***Schach** (Sg.)*	…………	Ich wünschte, Schach wäre ein Pflichtfach.

das ***Musikinstrument***, *-e* . . . . Jeder müsste ein Musikinstrument erlernen.

die ***Medienkunde*** (*Sg.*) . . . . Medienkunde sollte ein Pflichtfach werden.

3 Meine Schulzeit

3.1

der ***Musiklehrer***, *-* . . . . Mein Musiklehrer ist immer sehr freundlich und motiviert.

das ***Chemiebuch***, *-ü-er* . . . . Der Schüler hat heute sein Chemiebuch zu Hause vergessen.

der/die ***Sozialarbeiter/in***, *-/-nen* . . . . Mit der Sozialarbeiterin kann ich über Probleme sprechen.

der/die ***Mathematiklehrer/in***, *-/-nen* . . . . Die Mathematiklehrerin gibt meistens gute Noten.

der/die ***Vertrauenslehrer/in***, *-/-nen* . . . . Eine Vertrauenslehrerin kümmert sich um die Probleme der Schüler.

der/die ***Schulsekretär/in***, *-e/-nen* . . . . Die Schulsekretärin organisiert das Leben in der Schule.

3.2a	*der/ die*	**Schulzahnarzt/ärztin,** *-e/-nen*	. . . .	Die Schulzahnärztin kommt regelmäßig in alle Klassen.
	der	**Unterricht** (Sg.)	. . . .	Der Unterricht beginnt um acht Uhr.
		***beibringen* (*jmdm. etw.*)**, *er bringt jmdm. etw. bei, er hat jmdm. etw. beigebracht*	. . . .	Die Lehrer bringen den Schülern jeden Tag etwas Neues bei.
3.3	*der/ die*	**Lieblingslehrer/in,** *-/-nen*	. . . .	Mein Lieblingslehrer war sehr jung und motiviert.
	das	***Lieblingsfach,*** *-ä-er*	. . . .	Physik ist mein absolutes Lieblingsfach.
	der	***Schulausflug,*** *ü-e*	. . . .	Der Schulausflug geht dieses Jahr nach Köln.
	die	***Klassenfahrt,*** *-en*	. . . .	Wir machen eine einwöchige Klassenfahrt nach Hamburg.
	das	***Schulessen,*** *-*	. . . .	Das Schulessen war immer schrecklich!

4 Lernvorlieben

4.1b **zu zweit** . . . . Macht die Aufgabe bitte zu zweit.

4.2a die **Sportart**, -en . . . . Sie würde gerne eine extreme Sportart ausprobieren.

Ü Übungen

Ü1a die **Haltestelle**, -n . . . . Die Haltestellen haben sich wegen der Baustelle geändert.

die **Schwierigkeit**, -en . . . . Man lernt viel über die Schwierigkeiten der Gastarbeiter.

Ü6a *der **Schulweg**, -e* . . . . Welchen Schulweg sind Sie gegangen?

*die **Zusage**, -n* . . . . Ich habe eine Zusage für die Universität bekommen.

*der/die **Maschinenbauingenieur/in**, -e/-nen* . . . . Heute bin ich erfolgreicher Maschinenbauingenieur.

Ü6b die **Unterstützung**, -en . . . . Er bekam am Gymnasium viel Unterstützung.

Ü9

die ***Sekretariatsaufgabe**, -n* . . . . Eine Sekretärin übernimmt typische Sekretariatsaufgaben.

die ***Einschulung**, -en* . . . . Sie organisiert Einschulungen und Schulwechsel.

der ***Schulwechsel**, -* . . . . Sie organisiert Einschulungen und Schulwechsel.

die ***Kompetenz**, -en* . . . . Zu ihren Kompetenzen gehört auch der Umgang mit Schülern.

der ***Umgang** (Sg.)* . . . . Es ist wichtig, den richtigen Umgang mit Medien zu erlernen.

die ***Flexibilität** (Sg.)* . . . . Flexibilität und Belastbarkeit sind in jedem Beruf von Vorteil.

die ***Belastbarkeit** (Sg.)* . . . . Flexibilität und Belastbarkeit sind in jedem Beruf von Vorteil.

der ***Fachunterricht** (Sg.)* . . . . Auch im Fachunterricht ist der Unterricht zweisprachig.

***abschließen**, er schließt ab, er hat abgeschlossen* . . . . Sie brauchen ein abgeschlossenes Studium.

die ***Arbeitsweise**, -n* . . . . Haben Sie Interesse an der zweisprachigen Arbeitsweise?

Ü10a *die* ***Osterferien*** *(Pl.)* . . . . Was macht ein Lehrer eigentlich in den Osterferien?

Ü14a *der/die* ***Reiseleiter/in****, -/-nen* . . . . Ich würde lieber als Reiseleiterin arbeiten.

Ü Zertifikatstraining

der/die ***Rezeptionist/in****, -en/-nen* . . . . Er möchte als Rezeptionist in Österreich arbeiten.

der ***Anfängerkurs****, -e* . . . . Es gibt an der Uni Anfängerkurse in Deutsch.

der ***Fortgeschrittenenkurs****, -e* . . . . Die Fortgeschrittenenkurse sind für die besseren Studenten.

die ***Gastronomie*** *(Sg.)* . . . . Er hat eine Ausbildung in der Gastronomie gemacht.

das ***Lernziel****, -e* . . . . Dieser Deutschkurs hat ein spezielles Lernziel.

die ***Abiturvorbereitung****, -en* . . . . Ich brauche einen Mathekurs zur Abiturvorbereitung.

das	***10-Finger-Schreiben*** *(Sg.)*	. . . .	Die Sekretärin hat einen Kurs im 10-Finger-Schreiben gemacht.
der	***Web-Design-Basiskurs*** *(Sg.)*	. . . .	Im Web-Design-Basiskurs lerne ich HTML und CSS.
die	***Online-Anmeldung****, -en*	. . . .	Die Online-Anmeldung funktioniert ab dem nächsten Montag.
das	***Weiterbildungsangebot****, -e*	. . . .	Die Anzeige informiert über aktuelle Weiterbildungsangebote.
	interkulturell	. . . .	Interkulturelle Kommunikation ist wichtig in vielen Berufen.
der	***Klinikalltag*** *(Sg.)*	. . . .	Der Klinikalltag ist hart und anstrengend.

Station 1

1 Training für den Beruf: Eine Präsentation vorbereiten und durchführen

1.1a *der* ***Arbeitsplan**, -ä-e* . . . . Der neue Arbeitsplan ist ab Montag gültig.

der ***Städtebau*** *(Sg.)* . . . . Der Architekt muss ein Modell für den Städtebau bauen.

1.1b *die* ***Verkaufszahl**, -en* . . . . Die Verkaufszahlen wurden in diesem Jahr wieder erhöht.

erhöhen, er erhöht, er hat erhöht . . . . Die Verkaufszahlen wurden in diesem Jahr wieder erhöht.

1.2a die **Präsentation**, -en . . . . Erarbeiten Sie eine Präsentation über Ihr Heimatland.

1.2b **beginnen (mit etw.)**, er beginnt mit etw., er hat mit etw. begonnen . . . . Wir beginnen den Unterricht mit einer Wortschatzübung.

die **Einleitung**, -en . . . . In der Einleitung sagt man, welches Thema der Vortrag hat.

der ***Hauptteil**, -e* . . . . Im Hauptteil nennt man Vor- und Nachteile.

	das	**Interẹsse (wecken)**, -n	. . . .	Ich hoffe, ich habe Ihr Interesse geweckt.
		wẹcken, er weckt, er hat geweckt	. . . .	Ich hoffe, ich habe Ihre Aufmerksamkeit geweckt.
	die	***Aufmerksamkeit***, *-en*	. . . .	Ich hoffe, ich habe Ihre Aufmerksamkeit geweckt.
1.3a		**überzeugen**, er überzeugt, er hat überzeugt	. . . .	Wenn Sie mit Ihrer Präsentation überzeugen wollen, brauchen Sie eine klare Gliederung.
	der	***Zuhörende***, *-n*	. . . .	Schauen Sie die Zuhörenden direkt an.
	die	***Gliederung***, *-en*	. . . .	Eine Präsentation muss eine klare Gliederung haben.
		mẹrken (sich), er merkt sich, er hat sich gemerkt	. . . .	Nennen Sie nur drei Vorteile, weil die Zuhörer sich nicht mehr merken können.
1.5	der/die	**Kụ̈nstler/in**, -/-nen	. . . .	Die Ausstellung ist von einer regionalen Künstlerin.

2 Wörter – Spiele – Training

2.1a

	korrekt	Welche Fakten sind korrekt?
der / die	**Moderator**, -en / **Moderatorin**, -nen	Sammeln Sie Ideen für die Rolle der Moderatorin.
	gehen (um etw.), es geht um etw., es ist um etw. gegangen	Es geht um verschiedene Meinungen zum Thema Medien.
das	**Medium**, Medien	Es geht um verschiedene Meinungen zum Thema Medien.
	diskutieren, er diskutiert, er hat diskutiert	Eltern, Schüler und Lehrer diskutieren.
	***ablenken**, er lenkt ab, er hat abgelenkt*	Sie lenken meine Schüler ab.
die	***Medienkompetenz**, -en*	Es ist wichtig, eine Medienkompetenz zu entwickeln.
	karrierebewusst	Gabriele Schäfer ist eine karrierebewusste Moderatorin.
	energisch	Als energische Lehrerin ist Martina Winter gegen Handys im Unterricht.

		tolerant	Der tolerante Lehrer Helmut Ostermaier findet Handys im Unterricht in Ordnung.
		engagiert	Kaja Rosenbaum ist eine engagierte Schülerin.
2.1b	der	**Wunsch**, -ü-e **(den Wunsch äußern)**	Sie hat den Wunsch geäußert, einen Ausflug mit der Familie zu machen.
		äußern, *er äußert, er hat geäußert*	Sie äußert den Wunsch nach einem Ordnungsdienst für Schüler.
2.3	*das*	***Entspannen*** *(Sg.)*	Leise Musik hilft mir beim Entspannen.
		helfen (bei etw.), er hilft bei etw., er hat bei etw. geholfen	Leise Musik hilft mir beim Entspannen.
	der	***Entspannungstyp***, *-en*	Welcher Entspannungstyp sind Sie?
		bekochen, *er bekocht, er hat bekocht*	Ich lasse mich gerne von einer Freundin bekochen.
	die	***Arbeitswoche***, *-n*	Nach einer anstrengenden Arbeitswoche gehe ich am liebsten zum Friseur.
		pur	Sport ist Stress pur!

	der	***Traumurlaub**, -e*	. . . .	In meinem Traumurlaub liege ich am Strand und bekomme eine Massage.
	die	***Massage**, -n*	. . . .	In meinem Traumurlaub liege ich am Strand und bekomme eine Massage.
2.5	*der*	***Bauarbeiter**, -*	. . . .	Die Bauarbeiter haben schnell gearbeitet.
	der	***Fischer**, -*	. . . .	An der Küste gibt es viele Fischer, aber der Job ist hart.

3 Grammatik und Evaluation

3.1		***föhnen**, er föhnt, er hat gefönt*	. . . .	Ich kann nicht duschen, während ich mich föhne.
3.2a	der/die	**Studierende**, -en	. . . .	1972 waren in Zürich 30% der Studierenden Frauen.
		intellektuell	. . . .	Dort trafen sie viele intellektuelle und selbstbewusste Frauen.
3.2c	*die*	***Russin**, -nen*	. . . .	Nadeschda Suslowa ist Russin.

		medizinisch	. . . .	Nadeschda Suslowa besuchte die medizinische Akademie in Zürich.
	die	***Akademie****, -n*	. . . .	Nadeschda Suslowa besuchte die medizinische Akademie in Zürich.
	die	***Promotion****, -en*	. . . .	Sie beendete ihr Studium mit einer Promotion, als sie erst 24 Jahre alt war.
	der	***Augenarzt****, -ä-e*	. . . .	Sie heiratete einen Augenarzt.
		eröffnen, er eröffnet, er hat eröffnet	. . . .	Sie heiratete einen Augenarzt und eröffnete als erste Frau eine eigene Praxis.
3.4b	der	**Beitrag**, -ä-e	. . . .	In dieser Zeitung gibt es viele Beiträge zu aktuellen politischen Diskussionen.
	das	***Schlagwort****, -ö-er*	. . . .	Nennen Sie Schlagwörter zum Thema „Politik“.
		spätestens	. . . .	Spätestens gegen zehn Uhr kommt mein Chef in mein Büro.
	die	***Einkaufsstraße****, -n*	. . . .	Nach der Arbeit bummle ich gern durch eine Einkaufsstraße.
3.5	*der*	***Bonbonbaum****, -äu-e*	. . . .	Ich wünschte, es würde Bonbonbäume geben.

3.6		***strẹssen**, er stresst, er hat gestresst*	Was stresst dich im Alltag am meisten?
	der	**R<u>a</u>tschlag**, -ä-e **(einen Ratschlag geben)**	Die Schulsozialarbeiterin kann bei Problemen gute Ratschläge geben.
		ạblehnen, er lehnt ab, er hat abgelehnt	Sie lehnt die Einladung zum Essen ab, weil sie keine Zeit hat.
	die	***Sch<u>u</u>lbiografie**, -n*	Schreib einen kurzen Bericht über deine Schulbiografie.

4 Filmstation

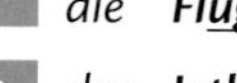

4.1	*die*	***Fl<u>u</u>gangst**, -ä-e*	Ich habe große Flugangst.
4.2a	*der*	***Jẹtlag**, -s*	Wenn man durch mehrere Zeitzonen fliegt, muss man mit einem Jetlag kämpfen.
		kặmpfen, er kämpft, er hat gekämpft	Wenn man durch mehrere Zeitzonen fliegt, muss man mit einem Jetlag kämpfen.
	die	***Z<u>e</u>itzone**, -n*	Wenn man durch mehrere Zeitzonen fliegt, muss man mit einem Jetlag kämpfen.

	innere	. . . .	Nach einem Langstreckenflug ist unsere innere Uhr durcheinander.
	durcheinander	. . . .	Nach einem Langstreckenflug ist unsere innere Uhr durcheinander.
der	***Kurzstreckenflug**, -ü-e*	. . . .	Ein Kurzstreckenflug beeinflusst unseren Organismus nicht.
der	***Langstreckenflug**, -ü-e*	. . . .	Nach einem Langstreckenflug ist unsere innere Uhr durcheinander.
das	***Gen**, -e*	. . . .	Viele Gene sind nur zu einer bestimmten Zeit aktiv.
	drehen, er dreht, er hat gedreht	. . . .	Die Zeit, in der sich die Erde zweimal um die Sonne dreht, bestimmt unseren Schlaf-Wach-Rhythmus.
der	***Schlaf-Wachrhythmus**, Schlaf-Wachrhythmen*	. . . .	Die Zeit, in der sich die Erde zweimal um die Sonne dreht, bestimmt unseren Schlaf-Wach-Rhythmus.
der	***Lebensrhythmus**, Lebensrhythmen*	. . . .	Unser Lebensrhythmus hängt auch vom Arbeitsalltag ab.

4.2b

	Wort	Beispiel
	signalisieren, *er signalisiert, er hat signalisiert*	Unser Körper signalisiert uns dann, dass es Abend ist.
	überstehen, *er übersteht, er hat überstanden*	Man muss zwei bis drei Stunden überstehen, bevor man ins Bett gehen kann.
die	**Zeitumstellung**, *-en*	Die Zeitumstellung ist für den Körper schwierig.
der	**Ausgangsort**, *-e*	Die innere Uhr bleibt am Ausgangsort stehen.
der	**Rhythmus**, *Rhythmen*	Wenn der Rhythmus aus dem Takt gerät, entsteht ein Jetlag.
der	**Takt**, *-e*	Wenn der Rhythmus aus dem Takt gerät, entsteht ein Jetlag.
der/die	**Reisende**, *-n*	Ein Flug Richtung Osten macht den Reisenden mehr zu schaffen.
der	**Zielort**, *-e*	Wenn man am Zielort ankommt, sollte man schlafen gehen, wenn die Sonne untergeht.
	untergehen, *er geht unter, er ist untergegangen*	Wenn man am Zielort ankommt, sollte man schlafen gehen, wenn die Sonne untergeht.
	bewältigen, *er bewältigt, er hat bewältigt*	Der Körper kann täglich eine Stunde Zeitumstellung bewältigen.

4.3		***shoppen***, *er shoppt, er hat geshoppt*	. . . .	Im Urlaub möchte ich jeden Tag shoppen gehen.
4.4	*der*	***Wassersport*** *(Sg.)*	. . . .	Herr Meier möchte unbedingt Wassersport ausprobieren.
		ausprobieren, *er probiert aus, er hat ausprobiert*	. . . .	Frau Dreyer möchte regionale Spezialitäten ausprobieren.
		aufgrund	. . . .	Aufgrund der vielen User ist diese Internetseite sehr langsam.
4.5	*die*	***Erwartung***, *-en*	. . . .	Vielen Paaren fällt es schwer, im Urlaub ihre unterschiedlichen Erwartungen zu erfüllen.
		streiten, er streitet, er hat gestritten	. . . .	Aufgrund der unterschiedlichen Wünsche streiten viele Paare.
		schwerfallen, *es fällt ihm schwer, es ist ihm schwergefallen*	. . . .	Vielen Paaren fällt es schwer, im Urlaub ihre unterschiedlichen Erwartungen zu erfüllen.
		erfüllen, er erfüllt, er hat erfüllt	. . . .	Es ist nicht leicht, unterschiedliche Wünsche zu erfüllen.

	britisch	Wir machen Urlaub auf den britischen Inseln.
	eckig	Der Ball ist rund und das Tor ist eckig.
die	***Nebensache****, -n*	Fußball ist die schönste Nebensache der Welt.
der	***Fußballverein****, -e*	Viele Deutsche sind Mitglied in einem Fußballverein.
der	***Deutsche Fußballbund*** *(DFB)*	Der Deutsche Fußballbund ist der weltgrößte Fußballverband.
	weltgrößter	Der Deutsche Fußballbund ist der weltgrößte Fußballverband.
der	***Fußballverband****, -ä-e*	Der Deutsche Fußballbund ist der weltgrößte Fußballverband.
	kicken*, er kickt, er hat gekickt*	Andere Deutsche kicken in einer Freizeit- oder Hobbymannschaft.
die	***Freizeitmannschaft****, -en*	Andere Deutsche kicken in einer Freizeit- oder Hobbymannschaft.
die	***Hobbymannschaft****, -en*	Andere Deutsche kicken in einer Freizeit- oder Hobbymannschaft.

die	***erste Bundesliga*** *(1. Liga)*	. . . .	Deutschland hat eine erste und eine zweite Bundesliga.
der	***Deutsche Meister****, Deutschen Meister*	. . . .	Bayern München war schon sehr oft Deutscher Meister.
der	***Weltmeistertitel****, - (WM-Titel), -*	. . . .	Die deutsche Nationalmannschaft holte 2014 den vierten Weltmeistertitel.
das	***Nachkriegsdeutschland*** *(Sg.)*	. . . .	Das Wunder von Bern gehört zur deutschen Nachkriegsgeschichte.
	eindrucksvoll	. . . .	Sönke Wortmann verfilmte das Wunder von Bern eindrucksvoll.
	verfilmen*, er verfilmt, er hat verfilmt*	. . . .	Sönke Wortmann verfilmte das Wunder von Bern eindrucksvoll.
der	***Spieltag****, -e*	. . . .	Bayern München ist oft schon vor dem letzten Spieltag Deutscher Meister.
	kurios	. . . .	Der deutsche Fußball ist voll von kuriosen Ereignissen.
der	**Zufall**, -ä-e	. . . .	Der deutsche Fußball ist voll von Zufällen und wunderbaren Geschichten.

	wunderbar	. . . .	Der deutsche Fußball ist voll von wunderbaren Geschichten.
die	***Nationalmannschaft***, *-en*	. . . .	Die deutsche Nationalmannschaft holte 2014 den vierten Weltmeistertitel.
	holen, er holt, er hat geholt	. . . .	Die deutsche Nationalmannschaft holte 2014 den vierten Weltmeistertitel.
die	**Mannschaft**, -en	. . . .	Den dritten WM-Titel holte die Mannschaft in Italien.
der	***Fußballer***, *-*	. . . .	Franz Beckenbauer ist Deutschlands bester Fußballer aller Zeiten.
	soweit	. . . .	Erst 24 Jahre später war es wieder soweit: Deutschland holte den vierten WM-Titel.
das	***Fußball-Drama***, *Fußball-Dramen*	. . . .	Es gab ein Fußball-Drama am letzten Spieltag.
	schießen, er schießt, er hat geschossen	. . . .	Ich hätte den Ball besser ins obere linke Eck schießen sollen.
das	**Eck** (Sg.)	. . . .	Ich hätte den Ball besser ins obere linke Eck schießen sollen.

	***anrühren**, er rührt an, er hat angerührt*	. . . .	Ich hätte den Ball gar nicht anrühren dürfen.
der	***Elfmeter**, -*	. . . .	Ja, ich habe den Elfmeter verschossen.
	***verschießen**, er verschießt, er hat verschossen*	. . . .	Ja, ich habe den Elfmeter verschossen.
der	***Abstieg**, -e*	. . . .	Das war für 1860 München der Abstieg in die zweite Liga.
die	***Liga**, Ligen*	. . . .	Das war für 1860 München der Abstieg in die zweite Liga.
das	***Punktspiel**, -e*	. . . .	Aber wir hatten 24 Punktspiele, nicht nur das eine.
der	***Stürmer**, -*	. . . .	Francis Kioyo ist heute Stürmer des FC Energie Cottbus.
der	***Frauenfußball** (Sg.)*	. . . .	Auch der Frauenfußball hat sich in den letzten Jahren erfolgreich entwickelt.

6 Klima und Umwelt

das **Klima**, Klimata	. . . .	Das Klima in meiner Heimatstadt ist sehr warm.
die **Umwelt** (Sg.)	. . . .	Wir müssen die Umwelt schützen.
das ***Umweltproblem**, -e*	. . . .	In Großstädten gibt es meistens viele Umweltprobleme.
die ***Prognose**, -n*	. . . .	Die Prognose für das Wetter in der nächsten Woche ist gut.
der **Sturm**, -ü-e	. . . .	Erst gab es Hagel, dann schwere Gewitter und Stürme.
das ***Hochwasser**, -*	. . . .	Der viele Regen verursachte ein Hochwasser.
das **Gewitter**, -	. . . .	Erst gab es Hagel, dann schwere Gewitter und Stürme.
der **Hagel** (Sg.)	. . . .	Erst gab es Hagel, dann schwere Gewitter und Stürme.
die ***Dürre**, -n*	. . . .	In den USA gibt es im Sommer eine lange Dürre.
der ***Orkan**, -e*	. . . .	Der Orkan hat viele Häuser zerstört.

1 Wetter, Wetter, Wetter!

1.1a

das	***Wetterchaos*** *(Sg.)*	. . . .	Erst Hagel und dann Hitze: dieses Jahr gibt es ein Wetterchaos in Deutschland.
das	***Jahrhunderthochwasser****, -*	. . . .	Nach dem Jahrhunderthochwasser ist jetzt die Hitzewelle mit 38 °C angekommen.
die	***Hitzewelle****, -n*	. . . .	Nach dem Jahrhunderthochwasser ist jetzt die Hitzewelle mit 38 °C angekommen.
	tropisch	. . . .	Der Sommer bringt tropische Temperaturen nach Deutschland.
der	***Cocktail****, -s*	. . . .	Bei der Hitze gehe ich gerne mit Freunden Cocktails trinken.
die	***Betonplatte****, -n*	. . . .	Wegen der Hitze brechen Betonplatten.
der	**Zentimeter***, -*	. . . .	Wegen der Hitze brechen Betonplatten und stehen mehrere Zentimeter hoch.
	hochstehen*, er steht hoch, er hat hochgestanden*	. . . .	Wegen der Hitze brechen Betonplatten und stehen mehrere Zentimeter hoch.
	kilometerlang	. . . .	Es gibt kilometerlange Staus.

die	***Wetterbedingung**, -en*	. . . .	Diese extremen Wetterbedingungen sind keine Folge des Klimawandels.
der	***Klimawandel**, -*	. . . .	Diese extremen Wetterbedingungen sind keine Folge des Klimawandels.
der *die*	***Meteorologe**, -n* ***Meteorologin**, -nen*	. . . .	Dr. Niewald ist Meteorologin am Max-Planck-Institut.
die	***Meteorologie** (Sg.)*	. . . .	Sie arbeitet am Max-Planck-Institut für Meteorologie in Hamburg.
	nasskalt	. . . .	Der Wechsel von nasskalten und heißen Perioden ist für Mitteleuropa völlig normal.
die	***Periode**, -n*	. . . .	Der Wechsel von nasskalten und heißen Perioden ist für Mitteleuropa völlig normal.
	Land unter (sein)	. . . .	Meteorologen warnen: Land unter in Deutschland!
das	**Ufer**, -	. . . .	Wegen des starken Regens treten viele Flüsse über die Ufer.
der/ die	**Politiker/in**, -/-nen	. . . .	Auch Politiker zeigen sich gern mit Schaufel und Gummistiefeln.
die	***Schaufel**, -n*	. . . .	Auch Politiker zeigen sich gern mit Schaufel und Gummistiefeln.

der	***Gummistiefel****, -*	. . . .	Auch Politiker zeigen sich gern mit Schaufel und Gummistiefeln.
der	***Wahlkampf****, -ä-e*	. . . .	Die Politiker wollen so ihren Wahlkampf unterstützen.
	historisch	. . . .	In Grimma hat der Fluss Mulde heute das historische Stadtzentrum überflutet.
der/ die	***Anwohner/in****, -/-nen*	. . . .	Deshalb müssen alle Anwohner ihre Häuser verlassen.
der/ die	**Soldat/in**, *-en/-nen*	. . . .	Soldaten der Bundeswehr fahren mit Booten durch die Altstadt.
die	**Bundeswehr** *(Sg.)*	. . . .	Soldaten der Bundeswehr fahren mit Booten durch die Altstadt.
die	***Gefahrenzone****, -n*	. . . .	Alle Bewohner wurden aus der Gefahrenzone gerettet.
der	***Regenfall****, -ä-e*	. . . .	Meteorologen warnen vor neuen Regenfällen.
der	***Wetterrekord****, -e*	. . . .	Immer wieder erreichen uns Nachfragen zu deutschen Wetterrekorden.
der/ die	**Leser/in**, -/-nen	. . . .	Es kommen Nachfragen von Leserinnen und Lesern.

die	***Rekordliste**, -n*	. . . .	Wir haben für Sie eine Rekordliste zusammengestellt.
	niedrig	. . . .	Die niedrigste Temperatur lag bei -37,8 °C im Februar 1929.
der	***Niederschlag**, -ä-e*	. . . .	Im Herbst gibt es mehr Niederschlag als im Sommer.
der	***Jahresgesamtniederschlag**, -ä-e*	. . . .	Ein Ort im Allgäu hält den Rekord für den Jahresgesamtniederschlag.
	betrachten, er betrachtet, er hat betrachtet	. . . .	Betrachtet man den Jahresgesamtniederschlag, so hält ein Ort im Allgäu den Rekord.
die	***Ortschaft**, -n*	. . . .	Eine Ortschaft im Allgäu stellte 1970 den Rekord auf.
	harmlos	. . . .	Weltweit gesehen ist dieser Niederschlag aber ziemlich harmlos.
die	***Schneedecke**, -n*	. . . .	Ganz Deutschland liegt unter einer dichten Schneedecke.
der	***Schneefallrekord**, -e*	. . . .	Den Schneefallrekord innerhalb von 24 Stunden hält die Zugspitze.

	innerhalb	Den Schneefallrekord innerhalb von 24 Stunden hält die Zugspitze.
der	**Neuschnee** *(Sg.)*	Dort gab es im März 2004 ganze 150cm Neuschnee.
die	**Sonnenscheindauer** *(Sg.)*	Den Rekord für die höchste Sonnenscheindauer hält ein Ort auf der schwäbischen Alb.
der	**Jahresrekord**, *-e*	Den Jahresrekord hält ein Ort auf der schwäbischen Alb.
der	**Negativrekord**, *-e*	Der Negativrekord von 0 Sonnenstunden wurde im Dezember 1965 aufgestellt.
die	**Sonnenstunde**, *-n*	Der Negativrekord von 0 Sonnenstunden wurde im Dezember 1965 aufgestellt.
	lahmlegen, *er legt lahm, er hat lahmgelegt*	Der Orkan „Kyrill" hat das Rhein-Main-Gebiet lahmgelegt.
	entwurzeln, *er entwurzelt, er hat entwurzelt*	Der Orkan hat viele Bäume entwurzelt.
	abdecken, *er deckt ab, er hat abgedeckt*	Abgedeckte Dächer, umgestürzte Lastwagen: Der Orkan hat großen Schaden angerichtet.

	***umstürzen**, er stürzt um, er ist umgestürzt*	. . . .	Abgedeckte Dächer, umgestürzte Lastwagen: Der Orkan hat großen Schaden angerichtet.
der	***Lastwagen**, -*	. . . .	Abgedeckte Dächer, umgestürzte Lastwagen: Der Orkan hat großen Schaden angerichtet.
	streichen, er streicht, er hat gestrichen	. . . .	Wegen des Orkans wurden viele Flüge gestrichen.
der	***Schienenweg**, -e*	. . . .	Es gab gesperrte Straßen und Schienenwege.
der	**Schaden**, -ä-	. . . .	Wegen des Orkans kam es zu zahlreichen Schäden und Behinderungen.
der/ die	***Leichtverletzte**, -n*	. . . .	Bis zum späten Abend wurden nur einige Leichtverletzte gemeldet.
	einstellen, er stellt ein, er hat eingestellt	. . . .	Der Nahverkehr der Bahn wurde eingestellt.
der	***Nahverkehr**, -e*	. . . .	Der Nahverkehr der Bahn wurde eingestellt.
der/ die	***Flugreisende**, -n*	. . . .	Flugreisende mussten mit langen Wartezeiten leben.
	***leben (mit etw.)**, er lebt mit etw., er hat mit etw. gelebt*	. . . .	Flugreisende mussten mit langen Wartezeiten leben.

		öffentlich	. . . .	Öffentliche Gebäude wurden früher geschlossen.
		überfliegen, *er überfliegt, er hat überflogen*	. . . .	Überfliegen Sie die Texte und ordnen Sie je einen Ausdruck zu.
	das	**Rekordwetter** *(Sg.)*	. . . .	Das Rekordwetter im Sommer war gut für die Touristen.
1.3	*das*	***Wetterphänomen***, *-e*	. . . .	Welche Wetterphänomene gibt es bei Ihnen?
1.4	*der*	***Sachschaden***, *-ä-*	. . . .	Wegen des Sturms gab es zahlreiche Sachschäden.
		regnerisch	. . . .	Der Wechsel von regnerischen und sonnigen Perioden ist für Deutschland normal.
		überfluten, *er überflutet, er hat überflutet*	. . . .	In den überfluteten Orten herrscht Chaos.
1.5		**verursachen**, er verursacht, er hat verursacht	. . . .	Die Hitzewelle verursacht viele Probleme.
	der	***Straßenschaden***, *-ä-*	. . . .	Wegen der Hitzewelle gab es Straßenschäden.
1.6	*die*	***Wetter-Erfahrung***, *-en*	. . . .	Welche Wetter-Erfahrungen haben Sie gemacht?
	das	***Erdbeben***, *-*	. . . .	Ich habe schon ein Erdbeben erlebt.
	das	**Frühjahr**, -e	. . . .	Im Frühjahr gibt es regnerische Perioden.

nạss . . . . Der Sommer in meinem Land ist meistens sehr nass.

der ***Schneesturm**, -ü-e* . . . . In meinem Heimatland gibt es keine Schneestürme.

der ***Hagelsturm**, -ü-e* . . . . Ich erinnere mich noch an einen sehr schlimmen Hagelsturm.

die ***Schneelawine**, -n* . . . . In den Alpen gibt es manchmal Schneelawinen.

2 Der UN-Klimareport – Ursachen und Prognosen

2.1b *der* ***Dornröschenschlaf*** *(Sg.)* . . . . In der Politik ist keine Zeit für Dornröschenschlaf.

wạrnen, er warnt, er hat gewarnt . . . . Experten warnen vor ansteigenden Temperaturen.

ạnsteigen, *er steigt an, er ist angestiegen* . . . . Experten warnen vor ansteigenden Temperaturen.

die **Mẹnschheit** (Sg.) . . . . Die Menschheit produziert zu viel CO_2.

die ***Welt-Klimakonferenz**, -en* . . . . Die jährliche Welt-Klimakonferenz brachte keine Ergebnisse.

	die	***Verpflichtung**, -en*	. . . . Die Verpflichtungen der Industrieländer sind sehr gering.
	das	***Industrieland**, -ä-er*	. . . . Die Verpflichtungen der Industrieländer sind sehr gering.
		gering	. . . . Die Verpflichtungen der Industrieländer sind sehr gering.
	die	***Zusammenfassung**, -en*	. . . . Die 30-seitige Zusammenfassung der Welt-Klimakonferenz ist sehr interessant.
	der	***UN-Klimareport**, -e*	. . . . Der UN-Klimareport hat alarmierende Ergebnisse.
		aufhalten, er hält auf, er hat aufgehalten	. . . . Haben wir eine Chance, den Klimawandel aufzuhalten?
2.1c		***erwärmen (sich)**, er erwärmt sich, er hat sich erwärmt*	. . . . Das Klima hat sich in den letzten Jahren erwärmt.
	der	***Meeresspiegel** (Sg.)*	. . . . Der Meeresspiegel wird gleich bleiben.
	der	***Gletscher**, -*	. . . . Die Gletscher werden weiter schmelzen.
	die	***Sturmflut**, -en*	. . . . Es wird weniger Sturmfluten geben.
	die	***Frostperiode**, -n*	. . . . Frostperioden werden zunehmen.

	zunehmen, er nimmt zu, er hat zugenommen	. . . .	Frostperioden werden zunehmen.
	wesentlich	. . . .	Die Temperatur ist nicht wesentlich gestiegen.
das	**Jahrhundert**, -e	. . . .	Bis Ende dieses Jahrhunderts können die Temperaturen um 1,5°C steigen.
der	***Klimaexperte***, *-n*	. . . .	Deshalb streiten Klimaexperten weltweit, welche Folgen der Klimawandel hat.
die	***Wetteraufzeichnung***, *-en*	. . . .	Seit Beginn der Wetteraufzeichnungen war es nie wärmer.
die	***Wetteränderung***, *-en*	. . . .	Einige Wetteränderungen sind so gut wie sicher.
das	***Treibhausgas***, *-e*	. . . .	Treibhausgase werden die Welt weiter aufheizen.
	aufheizen (sich), *er heizt sich auf, er hat sich aufgeheizt*	. . . .	Treibhausgase werden die Welt weiter aufheizen.
die	***Eisdecke***, *-n*	. . . .	Die Eisdecken in Grönland und der Antarktis verlieren an Masse.
	feucht	. . . .	Feuchtere Regionen auf der Welt werden mehr Regen haben.

2.1d

	verstärken (sich), *er verstärkt sich, er hat sich verstärkt*	. . . .	Dieser Trend wird sich verstärken.
die	***Ferienregion***, *-en*	. . . .	Für Ferienregionen wie die Ostsee ist das kein Problem.
der	***Feriengast***, *-ä-e*	. . . .	Je höher die Temperaturen, desto mehr Feriengäste kommen im Sommer.
die	***Klimaprognose***, *-n*	. . . .	Für die Alpen ist diese Klimaprognose problematischer.
	problematisch	. . . .	Für die Alpen ist diese Klimaprognose problematischer.
das	***Unwetter***, *-*	. . . .	Deshalb kommt es zu Unwettern und Lawinen.
die	***Lawine***, *-n*	. . . .	Deshalb kommt es zu Unwettern und Lawinen.
der	***Wintersport*** *(Sg.)*	. . . .	Wintersport findet nur noch in Skigebieten über 1000 Metern statt.
das	***Skigebiet***, *-e*	. . . .	Wintersport findet nur noch in Skigebieten über 1000 Metern statt.
das	**Aus** *(Sg.)*	. . . .	Das ist das Aus für viele Wintersportorte.
der	***Wintersportort***, *-e*	. . . .	Das ist das Aus für viele Wintersportorte.

der	***Skitourismus*** *(Sg.)*	. . . .	Viele Menschen haben einen Arbeitsplatz im Skitourismus.
die	***Trockenperiode***, *-n*	. . . .	Südspanien hat mit Trockenperioden zu kämpfen.
der	***Wasserverbrauch*** *(Sg.)*	. . . .	Wegen des Wasserverbrauchs der Landwirtschaft hat Spanien Wasserprobleme.
das	***Wasserproblem***, *-e*	. . . .	Wegen des Wasserverbrauchs der Landwirtschaft hat Spanien Wasserprobleme.
die	***Küstenstadt***, *-ä-e*	. . . .	Küstenstädte werden mit dem steigenden Meeresspiegel zu kämpfen haben.
die	***Küstenregion***, *-en*	. . . .	Küstenregionen werden mit dem steigenden Meeresspiegel zu kämpfen haben.
der	**Verlust**, -e	. . . .	Der Verlust von Land bringt Gefahren für Millionen von Menschen.
die	***Naturressource***, *-n*	. . . .	Der Verlust von Naturressourcen bedroht eine der stärksten Ökonomien.
die	**Gefahr**, -en	. . . .	Der Verlust von Land bringt Gefahren für viele Menschen.
	bedrohen, *er bedroht, er hat bedroht*	. . . .	Der Verlust von Naturressourcen bedroht die Ökonomie.

	die	***Ökonomie***, *-n*	Der Verlust von Naturressourcen bedroht die Ökonomie.
	das	**Nichtstun** *(Sg.)*	Nichtstun wird teurer als Handeln.
2.2a	*die*	***Kurzdefinition***, *-en*	Lesen Sie die Kurzdefinitionen.
	die	***Annahme***, *-n*	Eine Annahme über eine Sache ist eine Prognose.
	die	***Klimafrage***, *-n*	Auf der Welt-Klimakonferenz werden wichtige Klimafragen besprochen.
	das	***Höhenniveau***, *-s*	Das Höhenniveau des Meeres ist der Meeresspiegel.
	der/die	**Fachmann/-frau**, -ä-er/-en	Ein Fachmann für das Klima ist ein Klimaexperte.
	die	***Messung***, *-en*	Die Messung der Temperatur ist wichtig für die Klimaexperten.
		gasförmig	CO_2 ist ein gasförmiger Stoff.
	die	**Erwärmung** (Sg.)	Treibhausgase tragen zur Erwärmung des Klimas bei.
		beitragen, *er trägt bei, er hat beigetragen*	Treibhausgase tragen zur Erwärmung des Klimas bei.

	der	***Zeitraum**, -äu-e*	. . . .	Der Zeitraum, etwas gegen den Klimawandel zu tun, wird immer kleiner.
2.4a	*die*	***Zunahme**, -n*	. . . .	Die Zunahme des Regens in feuchten Regionen ist ein großes Problem.
	die	***Abnahme**, -n*	. . . .	Die Abnahme der Regenmenge in Südeuropa führt zu einem Wassermangel.
	das	**Gebirge**, -	. . . .	Die Alpen sind ein Gebirge.
	die	***Regenmenge**, -n*	. . . .	Die Regenmenge in feuchten Regionen wird zunehmen.
	der	***Landverlust**, -e*	. . . .	Der Landverlust ist ein großes Problem für die Ökonomie.
2.4b	*die*	***Durchschnittstemperatur**, -en*	. . . .	Die Durchschnittstemperatur auf der Erde steigt.
	die	***Seilbahnanlage**, -n*	. . . .	In Kitzbühel bleiben die Seilbahnanlagen geschlossen.
	die	***Liftanlage**, -n*	. . . .	Die Liftanlagen in Kitzbühel sind wichtig für den Skitourismus.

	die	***Verfügung (zur Verfügung stehen)****, er steht zur Verfügung, er hat zur Verfügung gestanden*	Die Seilbahnanlagen stehen den Touristen zur Verfügung.
	der	***Sommermonat****, -e*	In den Sommermonaten bleiben die Liftanlagen geschlossen.
2.6	*die*	***Klimasituation****, -en*	Die Klimasituation in Südeuropa ist ernst.

3 Umweltprobleme: Wissen Sie eigentlich, …?

3.1a		***angehen****, er geht an, er ist angegangen*	Umweltschutz geht uns alle etwas an.
		belasten*, er belastet, er hat belastet*	Wissen Sie eigentlich, wie stark Sie die Umwelt belasten?
		schockieren*, er schockiert, er hat schockiert*	Der UN-Klimareport hat die Menschen weltweit schockiert.
	der/die	***Natur-pur-Redakteur/in****, -e/-nen*	Die Natur-pur-Redakteure geben Ihnen Tipps.

das	***Kohlendioxid**, -e*	. . . .	Kohlendioxid ist ein Grund für die Erderwärmung.
die	***Erderwärmung** (Sg.)*	. . . .	Kohlendioxid ist ein Grund für die Erderwärmung.
	verbrauchen, er verbraucht, er hat verbraucht	. . . .	Je mehr Energie wir verbrauchen, desto mehr Energie müssen wir produzieren.
	sparen, er spart, er hat gespart	. . . .	Sparen Sie mehr Energie!
	je … desto	. . . .	Je mehr Energie wir verbrauchen, desto mehr Energie müssen wir produzieren.
der	***Standby** (Sg.)*	. . . .	Schalten Sie technische Geräte nicht auf Standby.
der	***Deckel**, -*	. . . .	Benutzen Sie beim Kochen einen Deckel.
	***beladen**, er belädt, er hat beladen*	. . . .	Beladen Sie die Spülmaschine vollständig!
die	***Spülmaschine**, -n*	. . . .	Beladen Sie die Spülmaschine vollständig!
	vollständig	. . . .	Beladen Sie die Spülmaschine vollständig!
	***recyceln**, er recycelt, er hat recycelt*	. . . .	Recyceln Sie Wertstoffe wie Papier, Glas oder Plastik.
der	***Wertstoff**, -e*	. . . .	Recyceln Sie Wertstoffe wie Papier, Glas oder Plastik.

das	**Plastik** (Sg.)	. . . .	Recyceln Sie Wertstoffe wie Papier, Glas oder Plastik.
die	**Landwirtschaft**, -en	. . . .	In der Landwirtschaft werden riesige Wassermengen verbraucht.
	riesig	. . . .	In der Landwirtschaft werden riesige Wassermengen verbraucht.
die	***Wassermenge**, -n*	. . . .	In der Landwirtschaft werden riesige Wassermengen verbraucht.
die	***Wasserqualität**, -en*	. . . .	In Nordeuropa ist die Wasserqualität ein Problem.
	reduzieren, er reduziert, er hat reduziert	. . . .	Reduzieren Sie Ihren Wasserverbrauch.
die	***Handwäsche**, -n*	. . . .	Die Handwäsche von Geschirr verbraucht viel Wasser.
das	**Regenwasser** (Sg.)	. . . .	Nutzen Sie Regenwasser.
	sparsam	. . . .	Kaufen Sie neue, sparsame Geräte.
der	***Wasserhahn**, -ä-e*	. . . .	Reparieren Sie tropfende Wasserhähne.
der	**Konsum** (Sg.)	. . . .	Der Konsum von Nahrungsmitteln steigt jedes Jahr.

	das	**Nahrungsmittel**, -	Der Konsum von Nahrungsmitteln steigt jedes Jahr.
	das	***Reyclingpapier*** *(Sg.)*	Nutzen Sie Recyclingpapier.
	der	***Topfdeckel***, -	Man sollte einen Topfdeckel nutzen.
	der	**Verbrauch** (Sg.)	Der Verbrauch von Wasser ist in der Landwirtschaft sehr hoch.
	der	***Wassermangel*** *(Sg.)*	Südeuropa leider unter Wassermangel.
3.2	*der*	***Widerspruch***, *-ü-e*	Umweltschützer sein und viel Wasser verbrauchen ist ein Widerspruch.
		ausdrücken (sich), *er drückt sich aus, er hat sich ausgedrückt*	Widersprüche kann man mit nicht..., sondern... ausdrücken.
3.4b	*die*	***Konsequenz***, *-en*	Eine Konsequenz von Trockenperioden ist der Wassermangel.
	der	***Wintersporttourist***, *-en*	Bei wärmeren Temperaturen kommen weniger Wintersporttouristen.
3.5b		***grundsätzlich***	Ich fliege grundsätzlich nicht mit dem Flugzeug.
		trennen (Müll), er trennt, er hat getrennt	Ich trenne meinen Müll.

		wegwerfen, er wirft weg, er hat weggeworfen	. . . .	Ich werfe nicht so viel weg.

Ü Übungen

Ü4	*die*	***Bezeichnung**, -en*	. . . .	Sturm ist eine Bezeichnung für starken Wind.
	der	**Blitz**, -e	. . . .	Es gibt bei einem Gewitter Blitz und Donner.
	der	**Donner** (Sg.)	. . . .	Es gibt bei einem Gewitter Blitz und Donner.
Ü5a	*der*	***Fahrradunfall**, -ä-e*	. . . .	Tim hatte einen Fahrradunfall.
	die	***Gartenparty**, -s*	. . . .	Die Gartenparty fällt wegen des Gewitters aus.
Ü7b	*die*	***Knieverletzung**, -en*	. . . .	Sie kann wegen der Knieverletzung nicht zur Schule gehen.
Ü8	*der*	***Hochwasser-Tourist**, -en*	. . . .	Wir wollten keine Hochwasser-Touristen sein.
Ü10b		**retten (sich vor etw.)**, er rettet sich vor etw., er hat sich vor etw. gerettet	. . . .	Sie retteten sich vor einer Lawine.
	die	***Schneewanderung**, -en*	. . . .	Sie liebt die Berge und macht Schneewanderungen.

Ü13a	*die*	***Verstärkung**, -en*	Die Verstärkung der Klimaerwärmung ist schädlich für die Erde.
	die	***Sonnenstrahlung**, -en*	Die Sonnenstrahlung fällt auf die Erdoberfläche.
	die	***Erdoberfläche** (Sg.)*	Die Sonnenstrahlung fällt auf die Erdoberfläche.
	das	***Weltall** (Sg.)*	Ein Teil der Strahlung geht zurück Richtung Weltall.
	das	***Methan** (Sg.)*	Treibhausgase wie Methan halten die Strahlung zurück.
		zurückhalten	Treibhausgase wie Methan halten die Strahlung zurück.
	die	***Temperaturregelung**, -en*	Die Temperaturregelung der Erde ist in Gefahr.
	die	***Biomasse** (Sg.)*	Aus Biomasse kann man Energie gewinnen.
Ü14a	*die*	***Maßnahme**, -n*	Es müssen Maßnahmen gegen den Klimawandel ergriffen werden.
Ü17a		***verdoppeln (sich)**, er verdoppelt sich, er hat sich verdoppelt*	Das Kohlendioxid in der Luft wird sich bis 2050 verdoppeln.

Ü Zertifikatstraining

die ***Geschwindigkeitsbeschränkung****, -en*	. . . .	Brauchen wir eine Geschwindigkeitsbeschränkung auf der Autobahn?
die ***Polizeikontrolle****, -n*	. . . .	Wir brauchen mehr Polizeikontrollen auf der Autobahn.
das **Abgas**, -e	. . . .	Moderne Autos produzieren weniger Abgase.
die ***Autoindustrie*** *(Sg.)*	. . . .	Die Autoindustrie will kein Tempolimit.
das ***Tempolimit****, -s*	. . . .	Die Autoindustrie will kein Tempolimit.

7 Das ist mir aber peinlich!

7 Das ist mir aber peinlich!

die	***Verhaltensregel**, -n*	. . . .	Bei meiner Arbeit gibt es sehr strenge Verhaltensregeln.
das	***Missgeschick**, -e*	. . . .	Ich möchte mich für dieses Missgeschick entschuldigen.
	***kommentieren**, er kommentiert, er hat kommentiert*	. . . .	Der Politiker will die Situation nicht kommentieren.
das	***Vergangene** (Sg.)*	. . . .	Meine Oma redet immer über Vergangenes.
der	***Knigge** (Sg.)*	. . . .	Im Knigge stehen wichtige Verhaltensregeln.
der	***Büroschlaf** (Sg.)*	. . . .	Mein Chef hat mich gestern beim Büroschlaf gesehen! Das war peinlich.
das	***Benehmen** (Sg.)*	. . . .	Das Benehmen von seiner Tochter ist wirklich schrecklich.
der	**Strumpf**, -ü-e	. . . .	Mein Bruder hat oft Löcher in seinen Strümpfen.
	***mitlesen**, er liest mit, er hat mitgelesen*	. . . .	In der U-Bahn lese ich morgens die Zeitung von meinem Nachbarn mit.

1 Was ist Ihnen (nicht) peinlich?

1.1b

die	**Ursache**, -n	Was sind die Ursachen für das Rotwerden?
das	***Rotwerden*** (Sg.)	Was sind die Ursachen für das Rotwerden?
der/die	***Naturforscher/in***, *-/-nen*	Charles Darwin war ein britischer Naturforscher.
die	***Leser-Antwort***, *-en*	Lesen Sie eine der drei Leser-Antworten im Artikel.
das	**Pech** (Sg.)	So ein Pech!
	verschütten, *er verschüttet, er hat verschüttet*	Man stolpert und verschüttet seinen Rotwein.
	aufsteigen, *er steigt auf, er ist aufgestiegen*	Sie bemerken eine aufsteigende Hitze, besonders im Gesicht.
die	***Belastung***, *-en*	Das Rotwerden kann zur Belastung werden.
die	***Unsicherheit***, *-en*	Plötzliches Rotwerden zeigt Unsicherheit.
der	***Auslöser***, *-*	Auslöser kann Verlegenheit, aber auch Freude oder Ärger sein.
die	***Verlegenheit***, *-en*	Auslöser kann Verlegenheit, aber auch Freude oder Ärger sein.

	die	***Ausdrucksform**, -en*	Rotwerden ist eine menschliche Ausdrucksform.
		liebenswert	Rotwerden ist nicht nur menschlich, sondern auch liebenswert!
		***schämen (sich)**, er schämt sich, er hat sich geschämt*	Wann haben Sie sich das letzte Mal so richtig geschämt?
		springen, er springt, er ist gesprungen	Mein Hund sprang in den Weihnachtsbaum und der fiel um.
		***schnarchen**, er schnarcht, er hat geschnarcht*	Ich schlief letzte Woche im Zug und habe dabei schrecklich geschnarcht!
		***anlächeln**, er lächelt an, er hat angelächelt*	Der Mann hat mich nur angelächelt.
1.2a	der	***Mitleser**, -*	Mitleser in der S-Bahn finde ich ein bisschen komisch.
1.2b	die	**Decke**, -n **(jmdm. fällt die Decke auf den Kopf)**	Mir fällt die Decke im Büro auf den Kopf.
		Gott sei Dank	Gott sei Dank hatte ich meine dunkelblaue Bluse an.
1.3		***verunsichern**, er verunsichert, er hat verunsichert*	Ich war verunsichert, weil die Frau mich angelächelt hat.

2 Was sagt der Knigge?

2.2b	*die* **Käse-Theke**, *-n*	. . . .	Ich warte schon lange an der Käse-Theke und werde nicht bedient!
	bedienen, er bedient, er hat bedient	. . . .	Ich warte schon lange an der Käse-Theke und werde nicht bedient!
	der **Strandnachbar**, *-n*	. . . .	Ihr Strandnachbar ist eingeschlafen und wird langsam knallrot.
	einschlafen, *er schläft ein, er ist eingeschlafen*	. . . .	Ihr Strandnachbar ist eingeschlafen und wird langsam knallrot.
	knallrot	. . . .	Ihr Strandnachbar ist eingeschlafen und wird langsam knallrot.
	wecken, er weckt, er hat geweckt	. . . .	Wecken Sie ihren Strandnachbarn, obwohl Sie ihn nicht kennen?
	das ***Kerzenlicht*** (*Sg.*)	. . . .	Am Tisch sitzt ein Paar und isst bei Kerzenlicht.
	wortlos	. . . .	Man sollte in Deutschland nicht das Geld auf den Tisch legen und wortlos das Restaurant verlassen.
	der ***Umgang***, *-ä-e*	. . . .	Das Buch von Adolph Knigge heißt „Über den Umgang mit Menschen“.

die **Öffentlichkeit**, -en . . . . Der Knigge ist in der Öffentlichkeit in Deutschland sehr bekannt.

2.6 *der* ***Knigge-Eintrag****, -ä-e* . . . . Schreiben Sie einen Knigge-Eintrag für Ihr Land.

3 Knigge international

3.1a **optisch** . . . . „Optronica" steht für optische Systeme.

die ***Länderauswahl****, -en* . . . . Unter „Länderauswahl" kannst du auf der Website die Sprache auswählen.

der ***Vertrieb****, -e* . . . . Sie arbeitet bei einer großen Firma im Vertrieb.

der/die ***Optiker/in****, -/-nen* . . . . Ihr Beruf ist technische Optikerin und Betriebswirtin.

der/die ***Betriebswirt/in****, -e/-nen* . . . . Ihr Beruf ist technische Optikerin und Betriebswirtin.

optisch-technisch . . . . Brauchen Sie Unterstützung mit Ihren innovativen optisch-technischen Ideen?

3.1c ***tagelang*** . . . . Ich habe tagelang Sightseeing gemacht.

das ***Sightseeing*** *(Sg.)* . . . . Ich habe tagelang Sightseeing gemacht.

		geschäftlich	....	Wir haben nicht über geschäftliche Themen gesprochen.
	die	***Lebenseinstellung**, -en*	....	Jemanden einzuladen ist dort Lebenseinstellung.
3.3a	*die*	***Arm-Zone**, -n*	....	Der britische Biologe Desmond Morris teilt die Nationen nach Arm-Zonen.
	das	***Ellenbogen-Land**, -ä-er*	....	In Ellenbogen-Ländern sind persönliche Beziehungen wichtig.
	die	***Handgelenk-Kultur**, -en*	....	In Handgelenk-Kulturen ist man indirekter.
	der	***Fingerspitzen-Staat**, -en*	....	In Fingerspitzen-Staaten wie Deutschland ist körperlicher Abstand wichtig.
	die	**Gesellschaft**, -en	....	In der deutschen Gesellschaft ist körperlicher Abstand wichtig.
	die	***Kommunikationsregel**, -n*	....	Wer die internationalen Kommunikationsregeln nicht kennt, bekommt Probleme.
		***zusammenwachsen**, er wächst zusammen, er ist zusammengewachsen*	....	Wer die internationalen Kommunikationsregeln nicht kennt, bekommt Probleme.
	die	***Sitte**, -n*	....	Andere Länder, andere Sitten: Man sollte Regeln der anderen Kultur kennen.

der	**Abstand**, *-ä-e*	. . . .	In der deutschen Gesellschaft ist körperlicher Abstand wichtig.
der/die	**Gesprächspartner/in**, *-/-nen*	. . . .	In Ellenbogen-Ländern beträgt der Abstand zum Gesprächspartner gerade mal Oberarmlänge.
die	**Oberarmlänge**, *-n*	. . . .	In Ellenbogen-Ländern beträgt der Abstand zum Gesprächspartner gerade mal Oberarmlänge.
die	**Geschäftsverhandlung**, *-en*	. . . .	Persönliche Beziehungen sind oft Voraussetzung für Geschäftsverhandlungen.
das	**Smalltalk-Thema**, *Smalltalk-Themen*	. . . .	Alles Private ist deshalb ein passendes Smalltalk-Thema.
	angenehm	. . . .	Ein Abstand, der fast so lang ist wie der Arm, wird in Frankreich als angenehm empfunden.
	empfinden, *er empfindet, er hat empfunden*	. . . .	Ein Abstand, der fast so lang ist wie der Arm, wird in Frankreich als angenehm empfunden.
die	**Fast-Armlänge**, *-n*	. . . .	In Handgelenk-Kulturen beträgt der Abstand für Gesprächspartner Fast-Armlänge.
	betreffen, *er betrifft, er hat betroffen*	. . . .	Obwohl Smalltalk-Themen auch Privates betreffen, ist man indirekter.

	indirekt	. . . .	Obwohl Smalltalk-Themen auch Privates betreffen, ist man indirekter.
das	***Kompliment**, -e*	. . . .	Komplimente für gute Leistungen sind besser als ein Lob für gutes Aussehen.
	oberflächlich	. . . .	Komplimente für gute Leistungen sind besser als ein oberflächliches Lob für gutes Aussehen.
	wirken, er wirkt, er hat gewirkt	. . . .	Lob für das Aussehen wirkt meist oberflächlich.
das	**Lob**, *-e*	. . . .	Lob für das Aussehen wirkt meist oberflächlich.
das	***Privatleben**, -*	. . . .	Gespräche über das Privatleben sind teilweise tabu.
	teilweise	. . . .	Gespräche über das Privatleben sind teilweise tabu.
	unabhängig	. . . .	Unabhängig davon gelten für die Kommunikation einige Regeln.
	***plaudern**, er plaudert, er hat geplaudert*	. . . .	Man kann auch während eines Geschäftstermins professionell plaudern.
	lokal	. . . .	Komplimente über lokale Sehenswürdigkeiten sind ein guter Gesprächsanfang.

der ***Gesprächsanfang**, -ä-e* . . . . Komplimente über lokale Sehenswürdigkeiten sind ein guter Gesprächsanfang.

überzeugen, er überzeugt, er hat überzeugt . . . . Auch das Wetter ist ein überzeugendes Thema.

loben, er lobt, er hat gelobt . . . . Auch das Wetter ist ein überzeugendes Thema, wenn man es loben kann.

4 Was tun, wenn …?

4.1a ***abstellen**, er stellt ab, er hat abgestellt* . . . . Er hat sein Fahrrad falsch abgestellt.

funktionieren, er funktioniert, er hat funktioniert . . . . An manchen Tagen funktioniert gar nichts.

4.2a *der* ***Container**, -* . . . . Er hat die Flasche in den Container geworfen.

***umfallen**, er fällt um, er ist umgefallen* . . . . Nachdem Karstens Kaffee umgefallen war, wechselte seine Chefin die Kleidung.

4.4a *die* ***Konfliktsituation**, -en* . . . . In Konfliktsituationen muss man richtig reagieren.

das ***Versehen**, -* . . . . Entschuldigung, das war ein Versehen.

		pardon	. . . .	Pardon, dürfte ich Sie kurz etwas fragen?
	die	**Verzeihung** (Sg.)	. . . .	Das tut mir aufrichtig leid, ich bitte um Verzeihung!
		aufrichtig	. . . .	Das tut mir aufrichtig leid, ich bitte um Verzeihung!
4.5a	*der*	***Müllcontainer**, -*	. . . .	Ich wollte die Tüte in den Müllcontainer werfen.
		fassen (nicht zu fassen sein), er fasst, er hat gefasst	. . . .	Das ist doch nicht zu fassen!
	die	***Frechheit**, -en*	. . . .	Das ist eine Frechheit!
	die	**Ahnung**, -en	. . . .	Ich habe keine Ahnung, was ich falsch gemacht habe.
		***verstoßen (gegen die Regel)**, er verstößt, er hat verstoßen*	. . . .	Deutsche mögen es nicht, wenn man gegen diese Regel verstößt.
	der	***Papiermüll** (Sg.)*	. . . .	Papiermüll gehört in die blaue Tonne.
	der	***Biomüll** (Sg.)*	. . . .	Man trennt Müll nach Biomüll und Restmüll.
	der	***Restmüll** (Sg.)*	. . . .	Man trennt Müll nach Biomüll und Restmüll.

die **Mülltonne**, -n . . . . Man wirft den Müll in unterschiedliche Mülltonnen.

umweltbewusst . . . . Die Deutschen sind sehr umweltbewusst.

4.6a *der* ***Krach*** *(Sg.)* . . . . Man sollte nachts keinen Krach machen.

die ***Mimik*** *(Sg.)* . . . . Die Mimik und Gestik ist für den Gesprächspartner sehr wichtig.

die ***Gestik*** *(Sg.)* . . . . Die Mimik und Gestik ist für den Gesprächspartner sehr wichtig.

Ü Übungen

Ü1 *die* ***Peinlichkeit****, -en* . . . . Mir passieren jeden Tag viele Peinlichkeiten.

Ü4b *die* ***Zwiebelsuppe****, -n* . . . . Die Frau hatte eine Zwiebelsuppe und einen Cappuccino.

Ü5a *der* ***Rettungsschwimmer****, -* . . . . Zum Glück kam sofort ein Rettungsschwimmer.

Ü6a ***kleiden (sich)****, er kleidet sich, er hat sich gekleidet* . . . . Ich kleide mich immer ordentlich.

der ***Extrawunsch****, -ü-e* . . . . Es gab viele Extrawünsche und kein Trinkgeld.

	das	**Trinkgeld**, -er	. . . .	Es gab viele Extrawünsche und kein Trinkgeld.
Ü6b	*der*	***Großteil*** *(Sg.)*	. . . .	Der Großteil der Kunden benimmt sich gut.
Ü14a		***bellen****, er bellt, er hat gebellt*	. . . .	Hunde, die bellen, beißen nicht.
		beißen, er beißt, er hat gebissen	. . . .	Hunde, die bellen, beißen nicht.
		trauern*, er trauert, er hat getrauert*	. . . .	Der Mann trauert um seine Frau.
Ü15b		***frustrieren****, er frustriert, er hat frustriert*	. . . .	Ich war natürlich frustriert.
Ü16a		***spontan***	. . . .	Die Freunde gehen spontan in ein Café.
		zufällig	. . . .	Judith trifft zufällig einen Freund.
Ü19a		***montieren****, er montiert, er hat montiert*	. . . .	Ich habe gestern drei Regale an die Wand montiert.

Ü Zertifikatstraining

der	***Benịmm-Unterricht*** *(Sg.)*	. . . .	Im Benimm-Unterricht lernt man Verhaltensregeln.
der	***Benịmm-Kurs****, -e*	. . . .	Ich weiß nicht, ob Benimm-Kurse eine Lösung sind.
	fẹststellen, er stellt fest, er hat festgestellt	. . . .	Ich muss immer wieder feststellen, dass Schüler respektlos sind.
	respẹktlos	. . . .	Manche Schüler sind respektlos.
das	***Ụnterrichtsfach****, -ä-er*	. . . .	Ein Unterrichtsfach für das Benehmen braucht man nicht.

8 Generationen

8 Generationen

der ***Lebensabschnitt****, -e*	. . . .	Mit dem 18. Lebensjahr beginnt ein neuer Lebensabschnitt.
literarisch	. . . .	Gibt es eine Rezension zu diesem literarischen Text?
die **Kindheit**, -en	. . . .	In meiner Kindheit habe ich viel draußen gespielt.
das ***Berufsleben****, -*	. . . .	Nach meinem Studium beginnt das Berufsleben.
beerdigt werden*, er wird beerdigt, er ist beerdigt worden*	. . . .	Viele Autoren sind in Berlin beerdigt.

1 Jung und alt

1.1a die **Generation**, -en	. . . .	In diesem Haus leben mehrere Generationen.
vergesslich	. . . .	Meine Großmutter wird immer vergesslicher.
das **Altersheim**, -e	. . . .	Sein Großvater lebt in einem Altersheim.

		ungeduldig	. . . .	Kinder sind meistens sehr ungeduldig und wollen nicht warten.
		mittlere	. . . .	Im mittleren Alter haben viele Menschen eine Familie.
1.2a		**vermutlich**	. . . .	Vermutlich geht es in der Geschichte um ein Problem in der Familie.
1.2b	*der*	***Einstieg***, *-e*	. . . .	Im Einstieg in die Geschichte gibt es viele Informationen zu den Personen.
	das	***Happy End***, *-s*	. . . .	Am Ende gibt es zum Glück ein Happy End.
1.3b	*die*	***Inhaltsangabe***, *-n*	. . . .	Die Inhaltsangabe zu diesem Buch klingt spannend.
	die	***Ungeduld*** *(Sg.)*	. . . .	Voller Ungeduld hat Evi auf den Tag gewartet, an dem ihre Oma ins Haus einzog.
		einziehen, er zieht ein, er ist eingezogen	. . . .	Voller Ungeduld hat Evi auf den Tag gewartet, an dem ihre Oma ins Haus einzog.
		begeistern, er begeistert, er hat begeistert	. . . .	Evis Schwester war weniger begeistert.
	der	***Aussetzer***, *-*	. . . .	Doch dann kommen die Aussetzer, nach denen sie sich an nichts erinnern kann.

	***zuspitzen* (*die Lage*)**, *es spitzt sich zu, es hat sich zugespitzt*	Die Lage spitzt sich zu, als das Wort „Altersheim" fällt.
	einfühlsam	Es ist ein einfühlsames Buch.
der	**Augenblick**, -e	Es ist ein Buch über die Kunst, das Glück im richtigen Augenblick zu ergreifen.

2 In einen Roman einsteigen …

2.1a

	leer	Omas Gesicht war plötzlich ganz leer.
	aufwärmen, *er wärmt auf, er hat aufgewärmt*	Der heiße Kakao hatte Evi aufgewärmt.
	versprechen, er verspricht, er hat versprochen	Die Mutter hatte es versprochen.
die	***Bahnhofshalle***, *-n*	Ich war in der Bahnhofshalle.
	schütteln, er schüttelt, er hat geschüttelt	Der Vater schüttelte den Kopf.
	vorwurfsvoll	Sie zog das Wort vorwurfsvoll in die Länge.

		sinken, er sinkt, er ist gesunken	. . . .	Sie ließ die Schultern wieder sinken und seufzte.
		seufzen, *er seufzt, er hat geseufzt*	. . . .	Sie ließ die Schultern wieder sinken und seufzte.
		neuerdings	. . . .	Ich vergesse viel neuerdings.
		aufbewahren, *er bewahrt auf, er hat aufbewahrt*	. . . .	Ich wusste, wo die Papiere aufbewahrt wurden.
	die	***Schulsachen*** *(Pl.)*	. . . .	Sogar an deine Schulsachen habe ich gedacht.
	der	***Romanauszug***, *-ü-e*	. . . .	Lesen Sie den Romanauszug.
	der	***Stammbaum***, *-äu-e*	. . . .	Kreuzen Sie die Personen im Stammbaum an.
2.1b	der	**Vorwurf**, -ü-e	. . . .	Der Vater macht Oma Vorwürfe.
	das	***Kinderfoto***, *-s*	. . . .	Oma sieht Vera auf den Kinderfotos sehr ähnlich.
2.2a	die	***Familienbeziehung***, *-en*	. . . .	Welche Familienbeziehungen sind richtig?
2.3	*der*	***Kosename***, *-n*	. . . .	Evi und Vera hören den Kosenamen ihres Vaters.
2.4a	*die*	*Achsel, -n* ***(mit den Achseln zucken)***	. . . .	Sie zuckt mit den Achseln.

		zucken, *er zuckt, er hat gezuckt*	. . . .	Sie zuckt mit den Achseln.
		tasten, *er tastet, er hat getastet*	. . . .	Die Oma tastet nach ihrer Brille.
	die	**Stirn**, *-en*	. . . .	Der Vater runzelt die Stirn.
		runzeln, *er runzelt, er hat gerunzelt*	. . . .	Der Vater runzelt die Stirn.
		senken, *er senkt, er hat gesenkt*	. . . .	Sie senkt ihre Schultern.
	die	**Augenbraue**, *-n*	. . . .	Er ist überrascht und hebt eine Augenbraue.
	die	**Umschreibung**, *-en*	. . . .	Können Sie mir eine Umschreibung für das Wort „Migration“ geben?
	der	**Auszug**, *-ü-e*	. . . .	Lesen Sie den Auszug aus dem Roman.
2.5b	*das*	**Minimemo**, *-s*	. . . .	Das Minimemo hilft Ihnen.
	die	**Statur**, *-en*	. . . .	Du hast die Statur deines Vaters.
	das	**Temperament**, *-e*	. . . .	Er hat das Temperament seiner Mutter.
	der	**Charakter** *(Sg.)*	. . . .	Haben Sie den Charakter Ihrer Mutter?

3 Interessen und Konflikte

3.1a

das	***Merkbuch***, *-ü-er*	. . . .	Evi schreibt jeden Abend ins Merkbuch.
die	***Zunge***, *-n*	. . . .	Evi ließ den ersten Löffel Eis auf der Zunge zergehen.
	zergehen (sich etw. auf der Zunge zergehen lassen), *er zergeht, er ist zergangen*	. . . .	Evi ließ den ersten Löffel Eis auf der Zunge zergehen.
die	***Eintragung***, *-en*	. . . .	Am Ende des Monats schauen wir uns die Eintragungen an.
	unterkriegen (sich nicht unterkriegen lassen), *er lässt sich nicht unterkriegen, er hat sich nicht untergekriegen lassen*	. . . .	Ich lasse mich nicht unterkriegen.
die	**Träne**, -n	. . . .	Da brach Evi in Tränen aus.
	bestürzt (sein über etw.), *er ist bestürzt über, er war bestürzt über*	. . . .	Bestürzt ließ die Mutter die Tasse sinken.

	herausschreien, *er schreit heraus, er hat herausgeschrien*	. . . .	Evi schrie alles heraus.
	wohltuend	. . . .	Es war wohltuend, denn es drängte die Tränen zurück.
	zurückdrängen, *er drängt zurück, er hat zurückgedrängt*	. . . .	Es war wohltuend, denn es drängte die Tränen zurück.
der	**Schutz** (Sg.)	. . . .	Oma braucht Schutz.
die	**Geduld** (Sg.)	. . . .	Die Mutter hat viel Geduld mit den Kindern.
die	***Rage (jmdn. in Rage bringen)***, *er bringt jmdn. in Rage, er hat jmdn. in Rage gebracht*	. . . .	Evi brachte das noch mehr in Rage.
	Acht geben auf etw., *er gibt Acht auf etw., er hat auf etw. Acht gegeben*	. . . .	Oma braucht jemanden, der auf sie Acht gibt.
	dröhnen, *er dröhnt, er hat gedröhnt*	. . . .	Evis Kopf dröhnte und ihr Mund wurde trocken.

	respektieren, *er respektiert, er hat respektiert*	Wir müssen Oma respektieren.
	solch	Hinter solchen Wörtern verschanzten sie sich immer.
	verschanzen (sich), *er verschanzt sich, er hat sich verschanzt*	Hinter solchen Wörtern verschanzten sie sich immer.
	bloß	Sei du bloß still!
	anfauchen, *er faucht an, er hat angefaucht*	Evi fauchte ihren Vater an.
	lästig	Dir ist Oma doch von Anfang an lästig gewesen!
	abrücken, *er rückt ab, er ist abgerückt*	Evi rückte ein Stück von der Mutter ab.
	reichen, es reicht, es hat gereicht	Es reicht doch, wenn einer von euch Geld verdient.
das	***Tagebuch***, *-ü-er*	Die Oma führt Tagebuch über ihr Leben.
	loswerden, *er wird los, er ist losgeworden*	Der Vater will die Oma nicht loswerden.

weiterarbeiten, *er arbeitet weiter, er hat weitergearbeitet* . . . . Beide Elternteile wollen weiterarbeiten.

3.2 ***nacherzählen***, *er erzählt nach, er hat nacherzählt* . . . . Erzählen Sie die Geschichte gemeinsam nach.

überlegen, er überlegt, er hat überlegt . . . . Die Eltern und Oma überlegen, wie sie das Problem lösen.

3.4 **fürchten**, er fürchtet, er hat gefürchtet . . . . Ich fürchte mich nicht vor der Nacht.

3.5a ***wühlen***, *er wühlt, er hat gewühlt* . . . . Oma wühlte in den Einkäufen.

4 Probleme diskutieren

4.1a *das* ***Für*** *(Sg.)* . . . . Notieren Sie das Für und das Wider.

das ***Wider*** *(Sg.)* . . . . Notieren Sie das Für und das Wider.

der **Vorschlag**, -ä-e . . . . Lesen sie alle Vorschläge.

	das	***Pro-Argument**, -e*	. . . .	Notieren Sie zu jedem Vorschlag das Pro-Argument.
	das	***Contra-Argument**, -e*	. . . .	Notieren Sie zu jedem Vorschlag das Contra-Argument.
	die	**Betreuung**, -en	. . . .	Sie teilen sich die Betreuung von Oma.
4.2a		**behalten**, er behält, er hat behalten	. . . .	Ich behalte meinen Arbeitsplatz.
4.2b	*die*	***Wichtigkeit**, -en*	. . . .	Ordnen Sie Ihre Argumente nach Wichtigkeit.
		***steigern (sich)**, er steigert sich, er hat sich gesteigert*	. . . .	Die Leistungen des Schülers haben sich im letzten Monat gesteigert.

5 Was siehst du, wenn …

5.1b	*die*	***Buchempfehlung**, -en*	. . . .	Lesen Sie die Buchempfehlung.
	die	***Rezension**, -en*	. . . .	Die Rezension für das Buch ist sehr positiv.
	das	***Autorenporträt**, -s*	. . . .	Welche Informationen stehen im Autorenporträt?
	die	***Leseprobe**, -n*	. . . .	Auf der Website gibt es eine Leseprobe.

	bewegen, er bewegt, er hat bewegt	. . . .	So sehen wir, was die Kinder in Deutschland heute bewegt.
	fließend (fließend sprechen)	. . . .	Paolo redet mit seinem Papa fließend Italienisch.
der	***Spinnenforscher***, *-er*	. . . .	Kevin möchte später Spinnenforscher werden.
die	***Schlange***, *-n*	. . . .	Er hat keine Angst vor Schlangen!
	mitlachen, *er lacht mit, er hat mitgelacht*	. . . .	Lachen Sie mit, wenn Ibrahim erzählt, dass er weder Hundehaufen noch Löwen mag.
	stinken, er stinkt, er hat gestunken	. . . .	Der Müll stinkt schrecklich, bring ihn bitte runter!
der	***Hundehaufen***, *-*	. . . .	Lachen Sie mit, wenn Ibrahim erzählt, dass er weder Hundehaufen noch Löwen mag.
die	***Hintergrundinformation***, *-en*	. . . .	Im Buch finden Sie auch viele Hintergrundinformationen.
	vorgeben, *er gibt vor, er hat vorgegeben*	. . . .	Die Themen geben die Kinder selbst vor.
5.2 *das*	***Buchcover***, *-*	. . . .	Das Buchcover ist langweilig.
	kurzweilig	. . . .	Die Geschichten sind auch immer kurzweilig.

		öde	. . . .	Die Informationstexte sind öde.
		unnötig	. . . .	Die Informationstexte sind unnötig.
5.4	*der*	***Kindheitswunsch**, -ü-e*	. . . .	Es ist mein Kindheitswunsch, ein schönes Auto zu fahren.

Ü Übungen

Ü1		***abhängig***	. . . .	Sie ist finanziell von ihren Eltern abhängig.
Ü2a	*das*	***Kriegsjahr**, -e*	. . . .	In den Kriegsjahren musste sich ihr Vater verstecken.
	das	***Fernsehgesicht**, -er*	. . . .	Inge Meysel ist ein bekanntes Fernsehgesicht.
		unverbesserlich	. . . .	Ihre Verrücktheit ist einfach unverbesserlich.
	die	***Machtergreifung**, -en*	. . . .	Nach der Machtergreifung der Nationalsozialisten durfte sie nicht mehr im Theater arbeiten.
	der/die	***Telefonist/in**, -en/-nen*	. . . .	Sie arbeitet als Telefonistin.
	das	***Schultheater**, -*	. . . .	Schon früh spielte sie im Schultheater.

	der	***Schauspielunterricht*** *(Sg.)*	. . . .	Sie bekam mit vier Jahren Schauspielunterricht.
	der	**Auftritt**, -e	. . . .	Es folgten Auftritte in Leipzig und Berlin.
Ü2b	*der/ die*	***Ballętttänzer/in***, *-/-nen*	. . . .	Inge Meysel war keine Baletttänzerin.
	die	***Ụngeduld*** *(Sg.)*	. . . .	Voller Ungeduld wartet das Mädchen auf Oma.
	der	***gute Geist***, *guten Geister*	. . . .	Oma war immer der gute Geist des Hauses.
Ü5	*der*	***Bräutigam***, *-e*	. . . .	Nils ist der Bruder des Bräutigams.
Ü6a	*die*	***Partnerwahl*** *(Sg.)*	. . . .	Lieselotte Kunert ist zufrieden mit der Partnerwahl ihrer Kinder.
		übrigens	. . . .	Ich trage übrigens jetzt den Namen meines Mannes.
Ü8a		***Buch führen (über etw.)***, *er führt Buch über etw., er hat Buch über etw. geführt*	. . . .	Ich führe Buch über Einnahmen und Ausgaben.
Ü8c	die	**Einnahme**, -n	. . . .	Ich führe Buch über Einnahmen und Ausgaben.
	die	**Ausgabe**, -n	. . . .	Ich führe Buch über Einnahmen und Ausgaben.
	die	***Laufzeit***, *-en*	. . . .	Ich führe Buch über meine Laufzeiten.

Ü10b	*der*	***Quizausschnitt**, -e*	. . . .	Hören Sie den Quizausschnitt.
Ü11		***erkranken (an etw.)**, er erkrankt an etw., er ist an etw. erkrankt*	. . . .	Sie ist an Demenz erkrankt.
Ü15a	*die*	***Hausregel**, -n*	. . . .	Alle müssen sich an die Hausregeln halten.
		halten (sich an etw.), er hält sich an etw., er hat sich an etw. gehalten	. . . .	Alle müssen sich an die Hausregeln halten.
Ü15c		**pflegen**, er pflegt, er hat gepflegt	. . . .	Ich pflege meine Mutter zu Hause.
Ü16a		**ungewöhnlich**	. . . .	Ich habe eine ungewöhnliche Idee.
		***auskommen**, er kommt aus, er ist ausgekommen*	. . . .	Wir müssen miteinander auskommen.
		***überzogen sein**, er ist überzogen, er war überzogen*	. . . .	Frau Perges Wangen sind mit einer fleckigen Röte überzogen.
		fleckig	. . . .	Frau Perges Wangen sind mit einer fleckigen Röte überzogen.
	die	***Röte** (Sg.)*	. . . .	Frau Perges Wangen sind mit einer fleckigen Röte überzogen.

	vom Donner gerührt	. . . .	Er sitzt da wie vom Donner gerührt.
Ü17a	***zielstrebig***	. . . .	Er arbeitet zielstrebig an seiner Karriere.
Ü19a	*der* ***Flugplatz****, -ä-e*	. . . .	Sie besuchte immer ihren Onkel auf dem Flugplatz.
	die **Geografie** (Sg.)	. . . .	Sie mochte Physik und Geografie.

Ü Zertifikatstraining

der ***Informationstag****, -e*	. . . .	Zum Informationstag im Seniorenzentrum sind viele Leute gekommen.
das ***Seniorenzentrum****, Seniorenzentren*	. . . .	Zum Informationstag im Seniorenzentrum sind viele Leute gekommen.
der ***Gemeinschaftsraum****, -äu-e*	. . . .	Das Treffen findet im Gemeinschaftsraum statt.
das ***Schweinefleisch*** *(Sg.)*	. . . .	Das Essen ist ohne Schweinefleisch.
die **Gewohnheit**, -en	. . . .	Die Pflegekräfte beachten die Gewohnheiten der Bewohner.

9 Migration

die	***Fremdheit**, -en*	. . . .	Fremdheit ist kein schönes Gefühl.
der	***Auswanderer**, -*	. . . .	Die meisten Auswanderer gingen nach „Übersee“.
	Übersee *(Sg.)*	. . . .	Viele Deutsche sind nach Übersee ausgewandert.
das	***Lager**, -*	. . . .	Zu Beginn lebten viele Auswanderer in einem Lager.
der	***Obsthändler**, -*	. . . .	Ich gehe immer zu einem kleinen Obsthändler.
das	***Asylantenheim**, -e*	. . . .	Ich arbeite jede Woche in einem Asylantenheim und unterrichte Deutsch.
der	***Zuwanderer**, -*	. . . .	Es kamen viele Zuwanderer aus Osteuropa.

1 Migration geht uns alle an!

1.1 die	**Wanderung**, -en	. . . .	Viele Auswanderer haben eine lange Wanderung gemacht, um in ihr Zielland zu kommen.
die	***Heimatstadt**, -ä-e*	. . . .	In meiner Heimatstadt gibt es viele Zuwanderer.

		***wegziehen**, er zieht weg, er ist weggezogen*	Sie sind aus Deutschland weggezogen.
	die	***Abwanderung**, -en*	Migration bedeutet die Abwanderung in ein anderes Land.
1.2a	*die*	***Einwanderung**, -en*	Deutschland erlebte in seiner Geschichte Einwanderung und Auswanderung.
	die	***Auswanderung**, -en*	Deutschland erlebte in seiner Geschichte Einwanderung und Auswanderung.
	der	**Migrant**, -en	Wie viele Migranten leben heute in Deutschland?
	die	***Naturkatastrophe**, -n*	1933 wanderten viele Menschen wegen einer Naturkatastrophe aus.
1.2b	*der*	***Wissenstest**, -s*	Machen Sie den Wissenstest.
	der	**Abschnitt**, -e	Bringen Sie die Abschnitte in eine zeitliche Reihenfolge.
		zeitlich	Bringen Sie die Abschnitte in eine zeitliche Reihenfolge.
	die	***Auswanderergruppe**, -n*	Sammeln Sie Informationen zu den Auswanderergruppen.

	verfolgen, *er verfolgt, er hat verfolgt*	. . . .	Viele Menschen wurden von den Nationalsozialisten verfolgt.
der	***Spätaussiedler***, *-*	. . . .	Ende der 1980er Jahre sind viele Spätaussiedler aus Russland gekommen.
das	***Wirtschaftswunder***, *-*	. . . .	Für das Wirtschaftswunder brauchten deutsche Firmen dringend Arbeitskräfte.
	anwerben, *er wirbt an, er hat angeworben*	. . . .	Sie ließen Arbeiter in Italien anwerben.
	zurückkehren, *er kehrt zurück, er ist zurückgekehrt*	. . . .	Er kehrte später in seine Heimat zurück.
der	***Emigrant***, *-en*	. . . .	Diese Emigranten flohen unter anderem in die USA.
der	***Landbesitz***, *-e*	. . . .	Grund für Auswanderung ist auch fehlender Landbesitz.
	religiös	. . . .	Viele Menschen werden religiös oder politisch verfolgt.
	politisch	. . . .	Viele Menschen werden religiös oder politisch verfolgt.
die	***Verfolgung***, *-en*	. . . .	Religiöse Verfolgung ist ein Grund für Emigration.

		***ausschiffen* (sich)**, *er schifft sich aus, er hat sich ausgeschifft*	. . . .	Bis 1914 schifften sich ca. vier Millionen Deutsche in die USA aus.
1.3b	*die*	***Einwanderungsgeschichte***, *-n*	. . . .	Berichten Sie über die neuere Einwanderungsgeschichte Deutschlands.
	die	***Auswanderungsgeschichte***, *-n*	. . . .	Berichten Sie über die neuere Auswanderungsgeschichte Deutschlands.
1.4	das	**Asyl**, -e	. . . .	Es gibt Flüchtlinge, die Asyl beantragen, weil sie politisch verfolgt werden.

2 Eine Migrationsgeschichte

2.1a	*die*	***Migrationsgeschichte***, *-n*	. . . .	Es geht in dem Film um eine Migrationsgeschichte.
	das	***Filmfoto***, *-s*	. . . .	Sehen Sie die Filmfotos an.
2.1b	*die*	***Filmbeschreibung***, *-en*	. . . .	Lesen Sie die Filmbeschreibung.
	die	***Pizzeria***, *Pizzerien*	. . . .	Sie will für die vielen italienischen Gastarbeiter eine Pizzeria eröffnen.
		erwachsen	. . . .	Die Kinder im Film sind schon erwachsen.

		drehen (Film), er dreht, er hat gedreht	Gigi dreht seinen ersten Dokumentarfilm.
	der	***Dokumentarfilm**, -e*	Gigi dreht seinen ersten Dokumentarfilm.
	die	**Ehe**, -n	Die Ehe der Eltern zerbricht.
		***zerbrechen**, er zerbricht, er ist zerbrochen*	Die Ehe der Eltern zerbricht.
2.1c		***befreundet (sein)***	Rosa ist mit den Brüdern befreundet.
	die	***Preisverleihung**, -en*	Giancarlo geht zur Preisverleihung.
2.3a		**aufnehmen**, er nimmt auf, er hat aufgenommen	Gigi muss die Bestellungen aufnehmen.
2.3b		***plaudern**, er plaudert, er hat geplaudert*	Giancarlo plaudert gerne mit den Gästen.
		auffordern, er fordert auf, er hat aufgefordert	Er fordert seinen Bruder auf, nach Italien zu kommen.
2.4b		***veranlassen**, er veranlasst, er hat veranlasst*	Er veranlasst die Reise seiner Mutter nach Italien.

3 Solino: Ein Film über das Weggehen und Heimkehren

		***heimkehren**, er kehrt heim, er ist heimgekehrt*	Die Eltern wollen nach Italien heimkehren.
3.1a	*der*	***Kultfilmer**, -*	Fatih Akin ist für viele ein Kultfilmer.
	der	***Lebensweg**, -e*	Er erzählt von Menschen, deren Lebenswege schwierig sind.
	die	***Migrationserfahrung**, -en*	Er erzählt die Migrationserfahrungen der Familie.
	die	***Wurzel**, -n*	Seine türkischen Wurzeln waren für das Projekt von Vorteil.
		maßgeschneidert	Das Drehbuch war einfach maßgeschneidert für mich!
	das	**Denkmal**, -ä-er	Den Film sehe ich als Denkmal für die erste Generation.
		***thematisieren**, er thematisiert, er hat thematisiert*	Der Film thematisiert nicht nur das private Schicksal einer Familie.
3.2c	*das*	***Privatkino**, -s*	Sein Privatkino fasziniert alle.

verschlechtern (sich), *er verschlechtert sich, er hat sich verschlechtert* . . . . Ihre Gesundheit verschlechtert sich.

3.3a *die* ***Wohnkultur**, -en* . . . . Die Wohnkultur ist in Deutschland anders als in Italien.

die ***Bürokratie**, -n* . . . . Bürokratie ist in Deutschland sehr wichtig.

4 … und deshalb wandern wir aus Deutschland aus

4.1a *das* ***Zielland**, -ä-er* . . . . Was ist das beliebteste Zielland?

die ***Perspektive**, -n* . . . . Im Ausland hat man bessere berufliche Perspektiven.

begleiten, er begleitet, er hat begleitet . . . . Menschen werden auf der Suche nach ihrem Glück begleitet.

der ***Zuzug**, -ü-e* . . . . Kanada ist mit fast 2700 Zuzügen ein beliebtes Zielland der Deutschen.

der **Sack**, -ä-e **(mit Sack und Pack)** . . . . Sie ist mit Sack und Pack ausgewandert.

4.2b	*das*	***Jobproblem**, -e*	. . . .	Wenn man die Sprache nicht spricht, gibt es häufig auch Jobprobleme.
	die	***Zufriedenheit**, -en*	. . . .	In welchem Land ist die Zufriedenheit am größten?
	die	**Rückkehr** (Sg.)	. . . .	Seit seiner Rückkehr aus den USA spricht er fließend Englisch.

5 Nicht nur Menschen wandern aus ...

5.1b	*die*	***Kulturgeschichte**, -n*	. . . .	Machen Sie Notizen zur Kulturgeschichte der Kartoffel.
	die	***Verbreitung**, -en*	. . . .	Die Kartoffel hat eine weltweite Verbreitung.
	das	***Grundnahrungsmittel**, -*	. . . .	Die Kartoffel gehört zu den Grundnahrungsmitteln.
		selbstverständlich	. . . .	Viele Lebensmittel sind für uns selbstverständlich.
		ernsthaft	. . . .	Wer denkt schon ernsthaft über ihren Ursprung nach?
	der	***Ursprung**, -ü-e*	. . . .	Wer denkt schon über ihren Ursprung nach?

die	***Gemüsepflanze**, -n*	. . . .	Heute ist die Kartoffel eine der weltweit wichtigsten Gemüsepflanzen.
	tolerant	. . . .	Die Pflanze ist sehr tolerant gegenüber unterschiedlichen Umweltbedingungen.
	gegenüber	. . . .	Die Pflanze ist sehr tolerant gegenüber unterschiedlichen Umweltbedingungen.
die	***Umweltbedingung**, -en*	. . . .	Die Pflanze hat gute Umweltbedingungen.
	***anbauen**, er baut an, er hat angebaut*	. . . .	Sie kann fast auf der ganzen Welt angebaut werden.
die	***Weltproduktion**, -en*	. . . .	90% der Weltproduktion kommen aus Europa.
die	***Gewürzgurke**, -n*	. . . .	Bitte schneiden Sie die Gewürzgurken klein.
die	***Gurkenflüssigkeit**, -en*	. . . .	Gießen Sie etwas Gurkenflüssigkeit über den Salat.
der	***Schnittlauch** (Sg.)*	. . . .	Hacken Sie den Schnittlauch.
der	***Kümmel** (Sg.)*	. . . .	Schmecken Sie die Sauce mit Kümmel ab.
	***schälen**, er schält, er hat geschält*	. . . .	Zuerst muss man die Kartoffeln schälen.
die	**Scheibe**, -n	. . . .	Die Äpfel muss man in Scheiben schneiden.

		hacken, *er hackt, er hat gehackt*	Hacken Sie den Schnittlauch.
	die	**Schüssel**, -n	Geben Sie die Kartoffeln in eine Schüssel.
		hinzufügen, *er fügt hinzu, er hat hinzugefügt*	Fügen Sie den Apfel hinzu.
		abschmecken, *er schmeckt ab, er hat abgeschmeckt*	Schmecken Sie die Sauce mit Kümmel ab.
5.2	*das*	***Originalrezept***, *-e*	Dies ist ein Originalrezept meiner Oma.

Ü Übungen

Ü2a	*das*	***Einwanderungsland***, *-ä-er*	Das Einwanderungsland muss den Asylantrag genehmigen.
	die	***Rasse***, *-n*	Manche Menschen werden wegen ihrer Rasse verfolgt.
		genehmigen, er genehmigt, er hat genehmigt	Das Einwanderungsland muss den Asylantrag genehmigen.

	der ***Asylantrag****, -ä-e*	. . . .	Das Einwanderungsland muss den Asylantrag genehmigen.
Ü5c	***boomen****, er boomt, er hat geboomt*	. . . .	Die Wirtschaft boomte in den 60er Jahren.
Ü12a	*der* ***Personalberater****, -*	. . . .	Mark arbeitet als Personalberater in Holland.
Ü17a	*das* ***Exportgut****, -ü-er*	. . . .	Autos sind das wichtigste deutsche Exportgut.
	das ***Akronym****, -e*	. . . .	Haribo ist ein Akronym aus dem Namen des Erfinders.

Ü Zertifikatstraining

	die **Rückmeldung**, -en	. . . .	Geben Sie eine Rückmeldung zur Präsentation.

10 Europa

10 Europa

die ***Europawahl**, -en* . . . . Bei der Europawahl sind nur wenig Menschen zur Wahl gegangen.

die **Schulden** (Pl.) . . . . Viele Länder haben hohe Schulden.

die ***Finanzpolitik**, -en* . . . . Ich bin mit der Finanzpolitik der EU nicht einverstanden.

das ***EU-Bildungsprogramm**, -e* . . . . EU-Bildungsprogramme fördern das Studium im Ausland.

die ***Amtssprache**, -n* . . . . Die Amtssprache von Deutschland ist Deutsch.

die ***Wirtschaftszone**, -n* . . . . Die EU ist eine Wirtschaftszone.

1 Wir sind Europa!

1.1 **fordern**, er fordert, er hat gefordert . . . . Mein Deutschlehrer fordert viel von den Studenten.

die ***Sprachenvielfalt**, -en* . . . . Die Sprachenvielfalt in Europa ist sehr wichtig für die Kulturen.

	die ***EU-Freizügigkeit**, -en*	. . . .	Durch die EU-Freizügigkeit kann man ohne Probleme in viele Länder reisen.
	der ***Beitritt**, -e*	. . . .	Der Beitritt eines neuen Landes ist gut für die Wirtschaft.
	der ***EU-Beitritt**, -e*	. . . .	Der EU-Beitritt des Landes führt zu einer starken Wirtschaft.
	die ***Währung**, -en*	. . . .	Die Währung in der EU ist der Euro.
	der **Frieden** (Sg.)	. . . .	Die EU sorgt für Frieden und Stabilität in Europa.
	die ***Stabilität**, -en*	. . . .	Die EU sorgt für Frieden und Stabilität in Europa.
1.3a	*das* ***Stipendium**, Stipendien*	. . . .	Ich studiere mit einem Stipendium in Straßburg.
	die ***Versöhnung**, -en*	. . . .	Europa hat sich zu einem Kontinent der Versöhnung und Demokratie entwickelt.
	die **Demokratie**, -n	. . . .	Europa hat sich zu einem Kontinent der Versöhnung und Demokratie entwickelt.
	die ***EU-Generaldirektion**, -en*	. . . .	Ich arbeite seit vier Jahren für die EU-Generaldirektion in Brüssel.
	die ***EU-Institution**, -en*	. . . .	Ich denke bei Europa vor allem an die EU-Institutionen.

das **Gesẹtz**, -e . . . . Ich denke bei Europa vor allem an die EU-Institutionen und die Gesetze.

die ***Ụmwelttechnik**, -en* . . . . Ich will in Deutschland Umwelttechnik studieren.

das ***Heimatland**, -ä-er* . . . . Das Heimatland von Milan ist Slowenien.

2 Das politische Europa

2.1a *der* ***Ạbsatz**, -ä-e* . . . . Ordnen Sie die Fotos dem passenden Absatz zu.

***unterzeichnen**, er unterzeichnet, er hat unterzeichnet* . . . . 1957 wurden die Römischen Verträge unterzeichnet.

aufrufen, er ruft auf, er hat aufgerufen . . . . Die Bürger waren aufgerufen, die Abgeordneten zu wählen.

der ***Ạbgeordnete**, -n* . . . . Die Bürger waren aufgerufen, die Abgeordneten zu wählen.

die **Wahl**, -en . . . . Aber nur 43 Prozent gingen zur Wahl.

die ***Wahlbeteiligung**, -en* . . . . Die Wahlbeteiligung war sehr niedrig.

die ***Parlamẹntssitzung**, -en* . . . . Die Parlamentssitzungen finden in Straßburg statt.

der	**Rat**, -ä-e	. . . .	Der Europäische Rat kommt viermal pro Jahr zusammen.
der	***Staatschef***, *-s*	. . . .	Der Europäische Rat besteht aus den Staats- und Regierungschefs.
der	***Regierungschef***, *-s*	. . . .	Der Europäische Rat besteht aus den Staats- und Regierungschefs.
der	***Organisator***, *-en*	. . . .	Er hat für 30 Monate die Funktion eines Organisators und Moderators.
das	***Stimmrecht***, *-e*	. . . .	Er hat aber kein Stimmrecht, wenn er Präsident des Rates ist.
der	***EU-Staat***, *-en*	. . . .	Das Treffen der Minister der EU-Staaten ist der Rat der Europäischen Union.
der/ die	***Finanzminister/in***, *-/-nen*	. . . .	Die nationalen Finanzminister kommen zusammen.
der/ die	***Innenminister/in***, *-/-nen*	. . . .	Die nationalen Innenminister kommen zusammen.
die	***Außenpolitik***, *-en*	. . . .	Hier wird über Fragen der Außen- und Sicherheitspolitik entschieden.

die ***Sicherheitspolitik****, -en* . . . . Hier wird über Fragen der Außen- und Sicherheitspolitik entschieden.

die ***Wirtschaftspolitik****, -en* . . . . Hier wird über Fragen der Wirtschaftspolitik entschieden.

die ***Rechtsvorschrift****, -en* . . . . Er beschließt gemeinsam mit dem Parlament Rechtsvorschriften.

der ***Vorsitz****, -e* . . . . Der Vorsitz des Rates wechselt halbjährlich.

halbjährlich . . . . Der Vorsitz des Rates wechselt halbjährlich.

die **Kommission**, *-en* . . . . Die Europäische Kommission besteht aus einem Kommissar pro Mitgliedsstaat.

bestehen (aus etw.), er besteht aus etw., er hat aus etw. bestanden . . . . Die Europäische Kommission besteht aus einem Kommissar pro Mitgliedsstaat.

der **Kommissar**, *-e* . . . . Es gibt je einen Kommissar pro Mitgliedsstaat.

ernennen*, er ernennt, er hat ernannt* . . . . Der Präsident wird vom Europäischen Rat ernannt.

der ***Gesetzesvorschlag****, -ä-e* . . . . Sie arbeitet Gesetzesvorschläge aus.

		***verwalten**, er verwaltet, er hat verwaltet*	Die Kommission verwaltet den Haushalt.
		***umsetzen**, er setzt um, er hat umgesetzt*	Sie sorgt dafür, dass europäisches Recht umgesetzt wird.
		garantieren, er garantiert, er hat garantiert	Sie soll garantieren, dass der Euro stabil bleibt.
		stabil	Sie soll garantieren, dass der Euro stabil bleibt.
	die	***Rechtsstreitigkeit**, -en*	Der Gerichtshof entscheidet über Rechtsstreitigkeiten.
	die	***Privatperson**, -en*	Es gibt Rechtsstreitigkeiten zwischen EU-Mitgliedsstaaten und Privatpersonen.
2.1b	*der/die*	***Premierminister/in**, -/-nen*	Zu dieser Institution gehört der irische Premierminister.
	das	***Rechtssystem**, -e*	Diese Institution ist für das deutsche Rechtssystem zuständig.
		***ausarbeiten**, er arbeitet aus, er hat ausgearbeitet*	Sie arbeitet die notwendigen Gesetze aus.
2.2a	der/die	**Bürger/in**, -/-nen	Ich bin Bürger der Bundesrepublik Deutschland.

	der/ die	***EU-Bürger/in**, -/-nen*	Alle EU-Bürger dürfen in alle EU-Länder einreisen.
2.2b		***zusammenkommen**, er kommt zusammen, er ist zusammengekommen*	Diese Institution kommt viermal im Jahr zusammen.
	die	***Rechtsvorschrift**, -en*	Die EU ist verantwortlich für viele Rechtsvorschriften in Europa.
2.4	die	**Kontrolle**, -n	Das Europäische Parlament ist für die Kontrolle des EU-Haushalts zuständig.
	der	***EU-Haushalt**, -e*	Das Europäische Parlament ist für die Kontrolle des EU-Haushalts zuständig.
2.5a		**ärgern (sich)**, er ärgert sich, er hat sich geärgert	Ich ärgere mich am meisten über EU-Kritiker.
		***identifizieren (sich)**, er identifiziert sich, er hat sich identifiziert*	Ich identifiziere mich mit Europa.
	der	***Bezug**, -ü-e*	Wovon träumen Sie in Bezug auf Europa?
	die	***Europapolitik**, -en*	Worüber ärgern Sie sich in der Europapolitik?
2.5d	die	**Partei**, -en	Sind Sie in einer politischen Partei?

2.6a		**lügen**, er lügt, er hat gelogen	. . . .	Ich ärgere mich über Politiker, die lügen.
	die	***Umweltverschmutzung**, -en*	. . . .	Ich ärgere mich über Umweltverschmutzung.
2.7	die	**Forderung**, -en	. . . .	Die wichtigste Forderung an die Politik ist, die Arbeitslosigkeit zu reduzieren.

3 Meinungen zu Europa

3.1a	*die*	***Lesermeinung**, -en*	. . . .	Wie sind die Lesermeinungen zu diesem neuen Buch?
	die	***Reisefreiheit**, -en*	. . . .	Die Reisefreiheit ist ein wichtiger Punkt in Europa.
	die	***Leserfrage**, -n*	. . . .	Die Leserfrage ist, ob wir mehr Europa brauchen.
	die	***Euro-Krise**, -n*	. . . .	Jetzt wird nach gemeinsamen Lösungen für die Euro-Krise gesucht.
	die	***Finanzkrise**, -n*	. . . .	Es ist richtig, dass wir in Zeiten der Finanzkrise leben.
		ökonomisch	. . . .	Die EU ist ökonomisch erfolgreich.
	die	***Kaufkraft** (Sg.)*	. . . .	Europa ist heute die Region mit der stärksten Kaufkraft.

der	***Aufbau**, Aufbauten*	In den ärmeren Regionen Europas hat die EU den Aufbau unterstützt.
das	***Finanzproblem**, -e*	Einzelne Staaten können ihre Finanzprobleme nicht mehr allein lösen.
das	**Visum**, Visa	Die Botschaft stellt Visa für das Land aus.
der	**Pass**, -ä-e	Die Europäer brauchen an vielen Grenzen keinen Pass mehr vorzuzeigen.
	***vorzeigen**, er zeigt vor, er hat vorgezeigt*	Sie brauchen keinen Pass vorzuzeigen.
das	***Austauschprogramm**, -e*	Die EU fördert mit Austauschprogrammen die Mehrsprachigkeit.
der	***Zerfall**, -ä-e*	Wir müssen Angst vor dem Zerfall der EU haben!
	nutzlos	Die EU ist nutzlos und teuer.
	verhindern, er verhindert, er hat verhindert	Europa hat die Balkankriege nicht verhindert.
die	***Kriminalität**, -en*	Keine Kontrollen führen zu mehr Kriminalität.
die	***Verfassung**, -en*	Es gibt immer noch keine europäische Verfassung.
der	**Einfluss**, -ü-e	Das europäische Parlament hat nicht viel Einfluss.

		investieren, *er investiert, er hat investiert*	. . . .	Die EU investiert Millionen in die Landwirtschaft.
	das	***Bildungsprogramm***, *-e*	. . . .	Jugendliche in Europa brauchen keine Bildungsprogramme, sondern Jobs.
3.1b		***inakzeptabel***	. . . .	Der zweite Sprecher findet es inakzeptabel, dass die EU so teuer ist.
3.2a	*die*	***Unabhängigkeit***, *-en*	. . . .	Die europäischen Staaten brauchen wieder mehr Unabhängigkeit von der EU.
	der	***Kulturaustausch***, *-e*	. . . .	Die Reisefreiheit bietet Möglichkeiten zum Kulturaustausch.
		schlimm	. . . .	Ein Zerfall der EU wäre schlimm.
3.2c	die	**Ausnahme**, -n	. . . .	Ist in Ihrem Land Mehrsprachigkeit eine Ausnahme?
3.3b		***umformulieren***, *er formuliert um, er hat umformuliert*	. . . .	Formulieren Sie die Beispielsätze um.
3.3c	*die*	***Not***, *-ö-e*	. . . .	Wer in Not gerät, sollte immer Hilfe bekommen.
		leiden, er leidet, er hat gelitten	. . . .	Der alte Mann leidet an Demenz.

	die	***Studiengebühr**, -en*	In einer perfekten Welt braucht man keine Studiengebühren zu zahlen.
3.4		***vorangehen**, er geht voran, er ist vorangegangen*	Nutzen Sie die Informationen aus den vorangegangenen Seiten.
		***einbeziehen**, er bezieht ein, er hat einbezogen*	Beziehen Sie auch Ihr Land ein.

4 Europa entdecken

4.1a		***unnütz***	In diesem Blog geht es um unnützes Wissen über Europa.
	die	***Reiseempfehlung**, -en*	In dem Text geht es um Reiseempfehlungen.
	das	***Ortsschild**, -er*	Das Ortsschild sieht sehr lustig aus.
	das	***Weltwunder**, -*	Das Kolosseum in Rom ist ein Weltwunder.
	die	***Megastadt**, -ä-e*	In Europa gibt es nicht solche Megastädte wie Mexico-City.
	der	***Traumstrand**, -ä-e*	Die Traumstrände der Erde liegen nicht in Europa.

	die ***Originalität****, -en*	. . . .	Die Touristen kommen wegen der Originalität nach Europa.
	neulich	. . . .	Ich habe neulich im Netz eine Liste mit 50 Europa-Fakten gefunden.
	der ***Brunnen****, -*	. . . .	Zürich ist die Stadt mit den meisten Brunnen.
	verlaufen (sich)*, er verläuft sich, er hat sich verlaufen*	. . . .	Durch Birmingham verlaufen mehr Kanäle als durch Venedig.
4.1b	der **Gegensatz**, -ä-e	. . . .	Reisefreiheit und geschlossene Grenzen sind ein Gegensatz.

Ü Übungen

Ü3a	*die* ***Bildungspolitik****, -en*	. . . .	Ich denke bei der EU vor allem an Bildungspolitik.
Ü4a	*die* ***Genehmigung****, -en*	. . . .	Es fehlt noch die Genehmigung des Gesetzes durch die EU-Kommission.
Ü13a	***vereint***	. . . .	Es ist wichtig, dass Europa vereint bleibt.
Ü13d	*der* ***Abschwung*** *(Sg.)*	. . . .	Der wirtschaftliche Abschwung brachte eine hohe Arbeitslosigkeit.

Ü Zertifikatstraining

das ***Online-Gästebuch**, -ü-er*	. . . .	Im Online-Gästebuch finden Sie verschiedene Kommentare zum Thema.
der ***Wohlstand*** (Sg.)	. . . .	Europa braucht Frieden und Wohlstand.
das ***Informationsbüro**, -s*	. . . .	Schreiben Sie an Herrn Schuster vom Informationsbüro.
die ***Zusendung**, -en*	. . . .	Bitten Sie höflich um die Zusendung von Informationen.

Station 2

1 Training für den Beruf: Smalltalk

1.1	*der*	***Smalltalk**, -s*	Im Aufzug hält man normalerweise Smalltalk.
	die	***Smalltalk-Situation**, -en*	Es gibt verschiedene Smalltalk-Situationen.
1.2a	*das*	***Partnerschaftsproblem**, -e*	Partnerschaftsprobleme kann man nicht in einer Smalltalk-Situation besprechen.
		***lästern**, er lästert, er hat gelästert*	Man sollte beim Smalltalk nicht über andere Personen lästern.
	die	***Beleidigung**, -en*	Beleidigungen sind beim Smalltalk tabu.
	die	***Bosheit**, -en*	Bosheiten sind kein gutes Smalltalk-Thema.
		eignen (sich), er eignet sich, er hat sich geeignet	Ja/Nein-Fragen eignen sich nicht gut zum Smalltalk.
	die	**Tabelle**, -n	Die Tabelle gibt eine Übersicht über gute Smalltalk-Themen.
	die	***Übersicht**, -en*	Die Tabelle gibt eine Übersicht über gute Smalltalk-Themen.

	die	**Vorsicht** (Sg.)	. . . .	Vorsicht bei schwierigen Themen: Sie sind nicht gut beim Smalltalk.
		zurückfragen, *er fragt zurück, er hat zurückgefragt*	. . . .	Fragen Sie beim Smalltalk immer zurück.
1.3a	*die*	***Anreise***, *-n*	. . . .	Wie lang hat die Anreise denn gedauert?
		in Gang halten, *er hält in Gang, er hat in Gang gehalten*	. . . .	Sie müssen beim Smalltalk das Gespräch in Gang halten.
		hoffentlich	. . . .	Hoffentlich kommt der Bus bald.
1.3b		***kursiv***	. . . .	Variieren Sie dann die kursiv gedruckten Wörter mit neuen Namen.
		variieren, *er variiert, er hat variiert*	. . . .	Variieren Sie dann die kursiv gedruckten Wörter mit neuen Namen.
1.4	*das*	***Kongresszentrum***, *Kongresszentren*	. . . .	Sie warten auf den Bus zum Kongresszentrum.
	die	***Partnerkarte***, *-n*	. . . .	Er benutzt die Partnerkarte auf Seite 229.
	die	***Rückfrage***, *-n*	. . . .	Stellen Sie immer Rückfragen.
		wunderbar	. . . .	Das Wetter ist heute wunderbar.

2 Wörter – Spiele – Training

2.1	die **Rede**, -n	. . . .	Man kann eine gute Rede in fünf Sätzen halten.
2.1a	*das* ***Schema****, Schemata*	. . . .	Ordnen Sie die Sätze dem Schema zu.
	die **Aussage**, -n	. . . .	Der erste Satz nennt ein Problem oder macht eine Aussage.
	der ***Schlusssatz****, -ä-e*	. . . .	Der Schlusssatz ist eine Forderung oder ein Vorschlag.
	das **Fahrzeug**, -e	. . . .	Aber ohne Fahrzeuge wären wir nicht mobil.
	umweltfreundlich	. . . .	Deshalb brauchen wir Fahrzeuge, die sehr viel umweltfreundlicher sind.
	schädlich	. . . .	Sie produzieren schädliche Gase.
	die ***Ressource****, -n*	. . . .	Autos verbrauchen unsere Ressourcen.
	die ***Umweltbelastung****, -en*	. . . .	Fahrzeuge sind eine Umweltbelastung.
	das **Benzin**, -e	. . . .	Außerdem verbrauchen sie zu viel Benzin oder Diesel.
	der ***Diesel****, -*	. . . .	Außerdem verbrauchen sie zu viel Benzin oder Diesel.

2.1b		**konsumieren**, er konsumiert, er hat konsumiert	Man sollte weniger Wasser konsumieren.
		abschaffen, *er schafft ab, er hat abgeschafft*	Hausaufgaben sollten abgeschafft werden.
		klug	In Deutschkursen sitzen die klügeren Frauen und Männer.
2.2	*der*	***Vorsatz***, *-ä-e*	Schreiben Sie sich selbst einen Brief mit guten Vorsätzen.
		schimpfen, er schimpft, er hat geschimpft	Ich möchte im neuen Jahr weniger schimpfen.
2.3a	die	**Überschrift**, -en	Die erste Zeile ist die Überschrift.
	das	***Nachtlied***, *-er*	Abends singt die Mutter für die Kinder ein Nachtlied.
2.3b		***vortragen***, *er trägt vor, er hat vorgetragen*	Tragen Sie Ihr Gedicht vor.
	die	***Betonung***, *-en*	Achten Sie auf die Betonung.
2.4	*die*	***Gruppenbeschreibung***, *-en*	Im Deutschkurs machen wir gemeinsam eine Gruppenbeschreibung.

2.5a		**eisig**	. . . .	Der Wind ist heute eisig.
	die	**Überschwemmung**, *-en*	. . . .	An der Küste gab es eine Überschwemmung.
		wehen, *er weht, er hat geweht*	. . . .	Der Wind weht in den Bergen sehr stark.
	die	**Trockenheit**, *-en*	. . . .	Die USA hatten diesen Sommer eine lange Periode der Trockenheit.
2.6a	der	**Wurm**, *-ü-er*	. . . .	Basteln Sie mit Ihrem Partner zwei Würmer.
2.6b		**ausdenken (sich)**, *er denkt sich aus, er hat sich ausgedacht*	. . . .	Denken Sie sich eine Geschichte aus.

3 Grammatik und Evaluation

	die	**Evaluation**, *-en*	. . . .	Am Ende des Kurses gibt es Zeit für eine Evaluation.
3.1	das	**Verkehrsproblem**, *-e*	. . . .	Welche Verkehrsprobleme gibt es in deiner Heimatstadt?

3.1a	*die*	***Werbebroschüre**, -n*	. . . .	In einer Werbebroschüre gibt es Informationen zu einem Produkt.
	der	***Unfallbericht**, -e*	. . . .	Im Unfallbericht steht, dass der Autofahrer zu schnell gefahren ist.
		***fluchen**, er flucht, er hat geflucht*	. . . .	Die Stadt ist voll mit fluchenden Autofahrern.
		hupen, er hupt, er hat gehupt	. . . .	Hupende und wütende Fahrer stehen dahinter.
		dahinter	. . . .	Hupende und wütende Fahrer stehen dahinter.
	der	**Smog** *(Sg.)*	. . . .	Reduzieren Sie den Smog in der Stadt und fahren Sie Bus.
3.1b		***umformen**, er formt um, er hat umgeformt*	. . . .	Formen Sie die Sätze wie im Beispiel um.
3.2a	*der*	***Deutschunterricht*** *(Sg.)*	. . . .	Lesen Sie den Lerneraufsatz über den Deutschunterricht.
		kompetent	. . . .	Meine Lehrerin ist sehr kompetent und klug.
	der	***Radiobeitrag**, -ä-e*	. . . .	Wir sehen deutsche Filme und hören Radiobeiträge.

	der	***Muttersprachler***, -	Hier in Brzesko haben wir keine deutschen Muttersprachler.
	der	***Austausch***, *-e*	Es gibt auch keinen Austausch mit deutschen Schülern.
	die	**Aussprache** (Sg.)	Meine Aussprache wird immer besser.
	die	***Struktur***, *-en*	Je mehr Wörter und Strukturen ich lerne, desto besser spreche ich.
		monoton	Mein Unterricht ist weder langweilig noch monoton.
3.2b		***witzig***	Meine beste Freundin ist witzig und klug.
3.3		**nähen**, er näht, er hat genäht	Ich nähe meine Kleidung selbst, wenn ich Zeit habe.
3.5a	*die*	***Spaghettisoße***, *-n*	Die Spaghettisoße wird jeden Tag frisch gekocht.
3.6	*die*	***Selbstevaluation***, *-en*	Machen Sie die Selbstevaluation.
	die	***Romanfigur***, *-en*	Ich kann auf Deutsch über Romanfiguren sprechen.

4 Filmstation

4.1a		***wiedergeben***, *er gibt wieder, er hat wiedergegeben*	Geben Sie den Inhalt wieder.
4.1b	*die*	***Filmszene***, *-n*	Sehen Sie die Filmszene ohne Ton.
		aushalten, *er hält aus, er hat ausgehalten*	Ich halte das nicht mehr aus!
4.1c	*die*	***Aubergine***, *-n*	Ich vermisse Auberginen und Artischocken.
	die	***Artischocke***, *-n*	Ich vermisse Auberginen und Artischocken.
4.1d	*die*	***Sprechblase***, *-n*	Sehen Sie den Rest des Clips und ergänzen Sie die Sprechblasen.
4.1e	*die*	***Familienszene***, *-n*	Spielen Sie die Familienszene nach.
4.2b	*die*	***Konzerthalle***, *-n*	Die amerikanische Band spielt heute in einer großen Konzerthalle.
4.2d	die	**Empfehlung**, -en	Achten Sie auf die Empfehlungen der Expertin.
4.2e	*der*	***Handy-Knigge*** *(Sg.)*	Welche Regeln gibt es im Handy-Knigge?
	die	***Mobilfunktelefonie***, *-n*	Lesen Sie über die Dos und Don'ts der Mobilfunktelefonie.

die **Regel**, -n . . . . Welche Regeln gibt es im Handy-Knigge?

der ***User**, -* . . . . Die User klicken am häufigsten auf die Bilder.

4.2f *das* ***Gruppen-Barometer**, -* . . . . Machen Sie ein Gruppen-Barometer.

die ***Hochzeitsfeier**, -n* . . . . Bei der Hochzeitsfeier sollte man das Handy nicht auf den Tisch legen.

5 Magazin: Ankunft

das ***Auslandsjahr**, -e* . . . . Moira Brown macht ein Auslandsjahr in Jena.

davor . . . . Ich hatte die Nacht davor kaum geschlafen.

der **Flughafen**, -ä- . . . . Als ich im Flughafen nach dem Weg fragte, antwortete der Mann auf Englisch.

der ***Mentor**, -en* . . . . Meine Mentorin begrüßte mich.

das ***Einwohnermeldeamt**, -ä-er* . . . . Sie erklärte mir, wie ich ins Einwohnermeldeamt komme.

das ***Auslandsamt**, -ä-er* . . . . Mein Mentor ging mit mir zum Auslandsamt.

hungrig . . . . Hungrig ging ich nach Hause.

	überglücklich	. . . .	Ich war überglücklich.
der	***Septembertag***, *-e*	. . . .	Er kam an einem warmen Septembertag in Köln an.
der	***Sprachkurs***, *-e*	. . . .	Er kam nach Köln, um einen Sprachkurs zu machen.
	staunen, *er staunt, er hat gestaunt*	. . . .	Er hat gleich angefangen zu staunen.
der	***Zollkontrolleur***, *-e*	. . . .	Der Zollkontrolleur hat den ersten deutschen Satz zu mir gesagt.
die	***Mittagszeit***, *-en*	. . . .	Die Temperaturen zwischen der Mittagszeit und dem Abend sind in Deutschland sehr unterschiedlich.
	aufgrund	. . . .	Aufgrund der Nähe zum Äquator gibt es keine großen saisonalen Unterschiede.
der	***Äquator***, *-en*	. . . .	Aufgrund der Nähe zum Äquator gibt es keine großen saisonalen Unterschiede.
	saisonal	. . . .	Aufgrund der Nähe zum Äquator gibt es keine großen saisonalen Unterschiede.